事実はどこにあるのか

主主義を運営するためのニュースの見方

澤 康臣

GS 幻冬舎新書 687

事実はどこにあるのか／目次

第六章 ニュースにお金を払うということ

DTP 美創

本文中の報道記事は各新聞社の紙版、デジタル版の両方を参考にした。
NHKニュースはデータベース「ジー・サーチ」収録の原稿に基づいた。
外貨の日本円換算は一ドル一三〇円、一ポンド一六〇円とした。

第一章 ニュースがなければ「なかったこと」になっていた

1　伝統医大の裏ルール

女性差別入試はなぜばれたのか

中学生、高校生たちが受験に立ち向かう。興味がある勉強をしたい。目標とする仕事につきたい。あこがれの大学の学生になりたい。一人一人の夢と未来があり、悩みながら懸命に取り組む。

受験生が頑張れるのは、入試という仕組みに信用が置けるからだ。答案は公正に採点され、点の高い順に合格者が決まるルールが守られる。ズルはできず、合格するには実力を伸ばすしかない。だから、正面から努力する。

もしも秘密の「裏ルール」が入試にあって、人によっては得点が高いのにひそかに落とされたり、点が低くても合格できたりしていたら――。信用できない試験になってしまう。受ける気になるだろうか。

そんなことが実際に起きていた。二〇一八年、大正期以来の伝統がある医科大学、東京医科大学が入試で女子受験生だけ点数が低くなるよう、極秘の点数操作をしていたことが明るみに出たのだ。男子の受験生を有利に、女子を不利に扱うあからさまな男女差別だ。社会常識からして許されない。

　この問題に政府はどうするのか、文部科学大臣の林芳正は、報道記者たちの質問を受けた。「一般的に、女子を不当に差別する入試が行われることは断じて認められない」「まずは（東京医科）大学からの報告を待ったうえで、対応を検討したい」。文科大臣がこのようにコメントする、深刻な騒動になった。

　それにしても、「裏ルール」は東京医大にとって極秘であり、表ざたになるはずがないから「裏ルール」だったはずだ。いったいなぜ、ばれたのか。

　国の大学への調査か。大学内部の誰かがＳＮＳ（ソーシャル・ネットワーク・サービス）に投稿したか。受験生がおかしいと気付いたか。

　このニュースをスクープとして報じた読売新聞の記事の中に、その答えがさりげなく書かれていた。スクープとは、世の中に知られていない情報をある報道メディアが独自に、唯一、報道することだ。他の新聞やテレビが報道していないニュースをそのメディアだけがつかみ、知らせる。「特ダネ」「特報」ともいう。二〇一八年八月二日の読売新聞朝刊に掲載されたその記事は次のように伝えた。

女子受験者を一律減点　東京医大、恣意的操作　入試要項　説明なし

> 東京医科大（東京）が今年2月に行った医学部医学科の一般入試で、女子受験者の得点を一律に減点し、合格者数を抑えていたことが関係者の話でわかった。女子だけに不利な操作は、受験者側に一切の説明がないまま2011年頃から続いていた。……

この記事には、不正入試は「関係者の話でわかった」と書いてある。報道機関が独自取材に基づいて報じるとき、この表現がよく使われる。国の調査結果を伝えたのではない。大学内部の人のSNS投稿でも、受験生の発見でもない。読売新聞記者が独自調査して判明し、報道されて初めて社会に明らかになったのだ。記事はさらにいう。

> 関係者によると、同大側は、1次の結果が出そろった段階で女子の得点に一定の係数を掛けて減点するなどしていた。（略）同大関係者は取材に対し、女子に対する一律の減点を認めた上で「女子は大学卒業後、結婚や出産で医師をやめるケースが多く、男性医師が大学病院の医療を支えるという意識が学内に強い」と説明している。

東京医大が女子受験生の点を下げた具体的な手口まで、記事に書いてある。不正を認め、理由を説明する「大学関係者」の言葉もある。東京医大の上層部がここを読んだら、極秘のはずの裏ルールについて、記者に真実を知らせた人が大学内にいると観念するだろう。

記事全体では、情報源は「関係者」と「同大（東京医大）関係者」という二つの表現がある。後者は大学の教職員や元教職員なのだろう。前者はどこの誰なのか分からない。大学の関係者ではないと決めることもできない。幅広い取材の結果のようだ。

それらはすべて非公式な取材である。表向きは「ないことになっている」話だから、正面切って話す人はいない。実際、記事はこう結ばれている。

> 女子受験者に対する意図的な減点について、東京医科大広報・社会連携推進課は取材に対し、「そのような事実は一切把握していない」としている。

つまり、東京医科大の公式な広報窓口は、読売新聞に対して「そんな事実は一切知らない」と否定している。否定しているのに読売新聞は「東京医大は女性を不利に扱う入試をしていた」と断定する記事をデカデカと出した。「当の本人が否定しているのに、記者は勝手に記事を出して大迷惑だ」ということになるかもしれない。

報道の役割は市民に大切な真実を知らせることだ。「市民にとって大切な真実かどうか」と、「当事者が知らせることを許可しているか」とは、直接は関係しない。「大切な真実だが、当事者は知らせたくない」ということもある。「うそなのに、当事者が宣伝しようと必死」ということもある。報道は大切な真実かどうかを考え、市民に伝えるのが任務だ。一方「当事者が伝えたいかどうか」を大切にするのは、広報や宣伝の仕事になる。広報や宣伝も社会の大切な仕事だが、報道やジャーナリズムとは別の任務だ。

実は、この東京医科大広報担当部署のコメントには少しあやしいところがある。「確認したが、そのような事実は一切ない」とは言っていないのだ。そうではなく「そのような事実は一切把握していない」と答えている。つまり「広報担当部署は知らされていないのです」としか言っていない、と受け取ることも可能だ。そうなると広報担当部署の「把握していない」というコメントも「事実といえば事実」なのかもしれない。だが「真実」だろうか。そして、市民が知るべきなのはどちらだろうか。

いや、そんな問題は、文部科学大臣や政府の偉い人、捜査機関が知って対処してくれればよくて、市民がいちいち大学を困らせてまで知るべき問題ではないのかもしれない。

だが市民は行政や政治の「お客様」ではない。「運営側」だ。なぜなら、この国は民主主義なのである。市民が意見を言い、行動して、世論を形作り、選挙では自分の考えを持って議員や政府を選ぶ。選挙運動に加わる市民も、デモやイベントで意見を訴える市民もいる。その市民が、正確な情報を豊富に持っていなければ、良い意見も持てない。そうなると政治も行政も正しく進まない。たとえていえば、市民は車のドライバーだ。地図を持ち、道路の危険情報も知っておく必要がある。単なる乗客ではない。

市民は世の中で何が起きているか、十分に知らなければ、道を誤ったり、危険な方向に進んだりしてしまう。正しい情報を知れば、声を上げ世論を作って、誤った道から正しい道に進路を変えられる。

だから私たちは本当のことを知る必要がある。報道記者はそのために働く職であり、私たち市民に最優先の忠誠を尽くし、真実を伝えようと努力する義務がある。

「太陽光は最良の消毒薬」

東京医大の不正入試が報道されて五日後の八月七日、東京医大は東京都内で記者会見を開き、女性差別入試があったことを認めた。同大学常務理事の行岡哲男と学長職務代理の宮澤啓介が会見し、宮澤は「男女の格差を広げてしまい、本当に申し訳ない」と謝罪した。

読売新聞はそれから五日後、今度は同紙の独自調査に回答した七六大学のうち八割近い五九大学で、二〇一八年の医学部の男子受験生の合格率が女子より高かったと伝えた。男子も女子も、受かりそうなギリギリのところを狙うことに変わりはないから合格率は本来変わらないはずだ。それなのに、男子だけ合格率が高い。偶然だろうか。男子受験生の合格率が過去五年連続で女子受験生より高い大学も多数あるという。そんな偶然があるのだろうか。

問題が次々に明らかになり、政府も調査に乗り出した。その結果、全国一〇の大学で女性差別など不適切な入試をしているか、少なくともその疑いがあるという報告を発表した。一方、大学関係の団体は入試での男女差別を厳禁した。文部科学省も大学入試の基本ルール「大学入学者選抜実施要項」を改め、性別、年齢、現役・既卒の別、出身地域などを理由にした格差を禁じる決まりができた。こうして、女性差別、浪人差別などは、大学入試としては一切認められないルールが確立した。

東京医大に不合格となった経験がある多数の女性たちが同大学などに損害賠償を求めて裁判を起こし、勝訴した。訴えた一人で、別の医学部に進学後医師となった長谷川麻矢は判決後の記者会見で「受験に限らず、女性が不当に差別されることを許さないで」と静かに呼びかけた。社会全体の議論が深まったともいえる。一方、女性差別入試を容認する立場の声も伝えられた。例えば大学関係者からで、「女性医師は辞める率が高い」からあまり増やすと現場に支障が起きるという。なぜ女性医師が辞めてしまうのかを調べ、改善するのが本筋のはずだが、「だから女性は医師にさせない」という対処法がまかり通り、入試裏ルールを生んできたことも、こうした議論の中で明らかにされ、市民の目にも分かってきた。

事実が公表され、詳細な情報が開示されること、表だって議論をすること。一九三〇年代にアメリカ連邦最高裁判事として活躍したルイス・ブランダイスは情報公開や表現の自由、出版の自由を強く求めたことで知られ、「太陽光は最良の消毒薬」という格言を残した。情報は日の当たるところに置く、つまり公開し、暗闇つまり秘密にしない。特に社会の不正や社会問題の詳しい事実が公表され、みんなの目に触れることが解決に不可欠だということを、太陽光の滅菌力にたとえたものだ。

医学部女性差別入試も、問題点が明るみに出され、専門家をはじめ市民たちが正面から議論し、裏のルールは消え、その擁護者は立ち去る。そうして社会が前進した。

取材は「話してもらえない」ところから始まる

そんな変化につながった報道は、どうやって取材したのか。このとき読売新聞社会部デスクとして報道を取りしきった渡辺晋《しん》（現・同紙ロサンゼルス支局長）に話を聞いてみた。差別入試という事実をつかんだきっかけは、当時既にどのメディアも取材していた東京医大と文部科学省の贈収賄事件だった。文部科学省が私大を支援する事業の対象として選んでほしかった東京医大理事長の臼井正彦、学長の鈴木衛が、文科省の官房長だった佐野太に賄賂として佐野の息子の裏口入学を持ちかけたという疑いで東京地検特捜部が捜査し、注目されていた。不正な賄賂の受け渡し、つまり贈収賄という大きな事件であり、事件発覚時に佐野は文科省の局長というさらに枢要な役職にあったから、どの報道メディアも深く広く報道しようと多数の関係者に取材をしていた。読売新聞もそういう取材をする。渡辺は話す。

「東京医大の人間、文科省局長の周辺の人間、局長と東京医大をつないだ仲介者の周辺、それらを徹底的に回りました。ほかに裏口入学はなかったのか。政治家が絡んでいるという話もあったから、それは誰なのか」

この「回る」とは記者がよく使う言葉だが……具体的には？

「大学職員に取材したいからといって、職場に行って話を聞かせてくださいと言っても、聞けることは当たり障りのないことに限られます。（本当のことを話してもらうには）記者に会っていることを周囲に分かられないようにする方法が必要です。かといって電話をかけて『場所を決めて会いましょう』と言っても会ってくれる人はまずいません」

それはそうだ。自分の勤務先が贈収賄事件という大きな問題に見舞われ、大揺れになっているのだ。いくら真相を知っていても、記者に喜んで話そうという人はそうはいないだろう。

「ではどうするか。自宅周辺で待ったり、自宅では迷惑だったら最寄りの駅で待ってみたり、そういうことをやります。そういう場所でないと、本当の話は聞けません」

上司も同僚もいるところで、自分の所属する組織の問題点を話すなんてできるはずがない。記者と接触したということ自体、知られるわけにいかない。記者から見れば、人知れず接触しなければ、相手を守れないということになる。だが、そうしたとしても急に訪問した記者に真相を話すというわけでは……。

「基本は話さないですよね」

渡辺はあっさり言う。それはそうだろう。人間、誰だって記者に急に接近されれば、警戒心が先に立つ。

「これだけの騒ぎになっている事件ですから、（あらゆる関係者のところに）何社も来ている。何社もいるところで話すわけないですし、知らない人に大事なことは話さない」

ではどうするのか。

「何度か通ってみます。例えば土日だったら他社は来ていないかもしれない。こちらもプライベートな時間を削りながらですが、何度も通ううちに、大事な話を聞けることがあります。聞けないこともありますが……それがどこまでできるかは記者のモチベーションにもよります」

そうやって何度も接触するうちに話す人が出てくる。

「あらゆる取材でそうです。突然話し出す人も、徐々に話していく人もいる。ケースバイケースです」

ケースバイケース……確かにその通りだ。私の記者経験でも、取材しながら「えっ」と思う、会話の歯車が回り始める瞬間がある。そんな瞬間にはいったいどうすれば出合えるのか、とも思う。

「やはり、相手に共感してもらえないと話してもらえないです。いかに共感してもらえるか」

共感……というと、記者も真面目に、一生懸命やっていると理解してもらう？

「それも一つですが、あとは新聞がいかに社会にとって大事なことを報じているのかを分かってもらうとか、ここ（のメディア）に報じてもらうなら間違いないとか、いろいろ話してこの記者だったら信頼できるからここまで話していいとか……あらゆる取材に当てはまります」

秘密情報源は徹底的に守る

渡辺は関係者を徹底的に回ったと話していた。文科省、大学、仲介者などを……。

「そうですね、しらみつぶしに。裏口入学の実態を探ろうと」

ところが、その中で裏口入学とは別の情報が出てきた。

「ある日……『いや、実はもっと大学にとって重大な話があるんですよ』とボソッと言われたことから始まるんです」

どういう人に言われたのですか。私は聞かずにいられない。

「そこは言えない、『関係者』です」

市民にとって大切な真実でも、部外秘ということもある。それを話せばルール違反として処罰や懲戒を受ける。真実を市民へ知らせようと、危険を冒して記者に情報提供した人を、記者は守る義務がある。秘密情報源の保護義務だ。

ここで少し、ニュースの情報源や出典について説明する必要がある。

本来、ニュース記事は出典を明示することが大原則だ。「……と、法務省の山田ゆりか刑事課長が述べた」「西東京電力の小林三十郎常務は、……と明らかにした」「事故を目撃した川崎市の会社員鈴木朝香さん（35）は、……と証言した」というようにはっきりさせる。それにより、出元の明らかな、信頼できる情報として市民に堂々と届けられる。

だが、危険を冒して情報を提供してくれた人の場合は特別な例外だ。市民に真実を知ってもらおうと、メディアを通じて市民に情報を提供する人はいなくなる。そうなれば市民に流れる情報が細ってしまう。それを防ぐ責務が記者にはある。だから、原則は出典明示だが、例外として、記者は秘密情報源を必ず保護しなければならない。

そして、保護するなら徹底的に保護する。

場合によっては、記者が情報源について口を閉ざすことが法律に違反する恐れもある。例えば、裁判の証人として法廷に呼び出され、この記事の情報源は誰かと尋問された場合だ。法律では、裁判の証人は何も隠してはならない。これに従うなら、情報源を隠し守る記者の倫理には従えなくなる。

二〇〇五年、この矛盾に立たされたのがNHKの記者だった熊田安伸だ。熊田はその八年前、あるアメリカ系食品会社が日本で税務当局から所得隠しを指摘されたとNHKニュースで報道した。その後、この食品会社のアメリカでの関連会社がアメリカ政府相手の裁判をアメリカで起こし、そこで熊田が「誰がこのニュースの情報源か」について証言を求められる。ただしこの証人尋問は熊田をアメリカの裁判所に呼び出すのではなく、日本の裁判所（当時熊田が勤めていた新潟の、新潟地方裁判所）で日本のルールに基づいて行うことになった。

証人は知っていることを隠してはならないが、例外として「職業の秘密」に限っては隠すことが認められる。果たしてニュースの情報源は記者という職業の秘密と認められるか。熊田が情報源について証言拒否を貫いたとして、裁判所が「こんなものは職業の秘密といえない」と判断すれば、正当な理由のない証言拒否ということになり、熊田は法律に違反したとして収監される恐れも出てくる。

熊田は証言を拒否した。裁判所はこの拒否が認められるかどうか審理し、翌年日本の最高裁判所は「取材源の秘密は職業の秘密に当たる」という、最高裁として初の判断を示した。これにより記者は原則として、取材源について証言を拒絶できる権利が得られたことになる。

こんな争いを構える必要があるほどに、秘密情報源の保護は大切な問題になる。

熊田に、この経過について尋ねてみた。

「実はこのとき、会社の弁護士や法務担当とすごく話した。どんな展開があってもおかしくない、裁判に協力するという意味で名前は言えなくても所属や肩書ぐらい言ってもいいのではという見方もあった。でも、考えてほしい。それも名前を言うのも（取材源を守っていないという意味では）同じこと」

確かに、どんな組織に所属する人かが裁判で明言されれば、その組織内で話題になる。話題になれば、そこで誰なのかの推測や調査が始まり、ついには露見することも十分あり得る。小さな穴からダムが決壊するように、秘密情報源が明らかになってしまう危険がある。

「どんな所属か肩書かを明らかにしたその瞬間に、取材先との信頼感は瓦解したも同然です。信頼関係という最高の倫理から考えたら、僕が収監されようと何だろうと言えません」

秘密情報源を確実に保護することの大切さは、どんな取材でも、東京医大不正入試の取材でも同じ。だからこの報道を担った読売新聞記者の渡辺も、秘密情報源に通じる話題には絶対に乗ろうとしない。「そこは言えない、『関係者』です」。全くぶれない。そのためどんな人が取材に協力したかは分からない。

でも、誰だか分からないその人はどうして「もっと大学にとって重大な話がある」などということを口にしてしまうのだろう。

「その人自身、かなり問題意識を持っていて、何とかしなければいけないと思ったのか、あとは記者の熱意に共感してくれたのか、たまたまそういう心境になったときに記者がそこにいたのか。そこは分からないですけど……でもそういうタイミングもこまめに回っていない限りはつかめない。多くの人にどれだけ回数を回るかはすごく大事」

最初は邪険に扱われる。それなのに二度三度と足を運ぶ。タフさが求められそうだ。

「それは僕らにとって普通のことで、一回断られてもこの人は脈がありそうだなと思えば何度も行きます。逆に、けんもほろろなところに通い詰めてもしょうがない」

そうするうちに不思議な、つい言いたくなる瞬間が来たということだろう。「もっと重大な話」を……。

「それは何ですかと記者が言ったとき、女性差別の存在をほのめかした。もっと詳しく聞こうとしていきますが、そこは簡単にしゃべるわけではない」

それはそうだ。むしろ「記者に口を滑らせてしまった」と後悔したかもしれない。

「だから、そこからまた通い詰めると同時に、別のところにも取材をかける」

そう簡単ではないように思える。だが、明確に調べ、かつ、裏付けを取らなければ報道はできない。

「かなり厳しかったですね」

特ダネを書くのは何のため？

取材班は、裏付けを証言だけに頼らず、データでも確認しようとした。例えば、医学部入試で男性女性の合格率に差があるか。男女別の合格者数は公表している大学が多い。これを調べようとした。

「一〇年分のデータを入手しました。そのデータを見ると、明確に男女で合格率の差がありました」

女子受験生の合格率が明確に低い。これは普通ではない。他の事情もあるのかもしれないが、検討する材料の一つにはなる。

「女子を差別しているという話なのに、女子の合格率が高かったら証言の信憑性が低くなりますから。でもそれだけでは不十分で、複数から同じような話を聞く必要がありました」

一人の証言でも大変なのに、複数から取るのはもっと大変だろう。

「大変ですね。最初はうそをつかれます。『そんなものはない』『知らない』と。でも一回断られても何度も行くということは、我々は日常的にやっていることです。当たり前のことです」

テレビで見る記者会見のような公式取材とはまた別に、公式取材では明かされない事実を探る非公式の取材がある。取材にたくさんのやり方があってこそ、真実が分かってくる。とはいえ、骨の折れる仕事だ。精神的にきついはずだ。

「別に特ダネを書いたからといってボーナスがもらえるわけでもない。でも記者になったからにはやはり特ダネを書いて世の中を変えたいというのは、誰もが持っているモチベーションです」

実際、女性差別入試が撤廃され、あってはならないという社会的合意ができた。ただ、この問題は何かの法律に違反していると言い切れるわけでもないのに、なぜ報道で取り上げる意味があるのだろうか。

「表向きは『入試は公正に、純粋に点数でやっています』と言っておきながら裏で操作しているのは、受験生に対する裏切り、社会に対する裏切りだと考えます。女子は一律減点されると知っていたらこの大学を受けていましたかと言ったら、受けていなかった人が少なからずいるはずです」

こんなことがむしろ明確な違法ではないなら、「そんな甘いルールでいいのか」をみんなで議論しなければまずい。必要なら法律やルールを変えないといけないし、変えるのは誰かといえば、社会の「運営側」である私たち市民、その世論。その私たちの議論の材料となる情報を、報道は提供することになる。

だが新聞が取り上げなくともＳＮＳに投稿する人も出てくるのでは。ツイッターやティックトックにはいろいろ暴露話が出る。新聞記者が書く記事とは違うのか。

「思い上がりかもしれないですけど……やはり精度が違います。新聞はうわさ話を書いているのではなく、裏付けを取って書いている。誤報を出してしまったときに叩かれるのは仕方ない、そうならないように一生懸命、裏付けを取りながらやっているんです。その努力は、やはり新聞を中心とした紙メディアが一番やっているのではないでしょうか」

2　大企業が受けたサイバー攻撃

サイバー攻撃で機密情報が流出？

三菱電機は日本を代表する総合電機メーカーの一つで、「霧ヶ峰」ブランドのエアコン、冷蔵庫や洗濯機、エレベーターなどで親しまれている。

その三菱電機が二〇一九年に大規模なサイバー攻撃を受け、社内のコンピューターに不正侵入されていた。つまり、社内の秘密情報が流出した恐れがある。問題は、三菱電機は「霧ヶ峰」や洗濯機だけの会社ではないことだ。高い技術力から、鉄道システム、産業用ロボット、原子力発電、人工衛星、国防用ミサイルにまで関わっている。それに関するデータも三菱電機は扱っている。

そして、この攻撃には中国系のサイバー攻撃集団「ティック」が関与した可能性があった。

重大な事態だが、長く市民に知らせず、秘密とされていた。これを市民に明らかにしたのは、朝日新聞の二〇二〇年一月二〇日の報道である。

三菱電機にサイバー攻撃　防衛・電力・鉄道、情報流出か　中国系組織関与の可能性

大手総合電機メーカーの三菱電機が大規模なサイバー攻撃を受け、機密性の高い防衛関連、電力や鉄道といった重要な社会インフラ関連など官民の取引先に関する情報が広く流出した恐れがあることがわかった。本社や主要拠点のパソコンやサーバーが多数の不正なアクセスを受けたことが社内調査で判明した。同社は不正アクセスの手口などから、防衛関連の機密情報を主に狙う中国系のサイバー攻撃集団「Ｔｉｃｋ（ティック）」が関与した可能性があるとみている。

複数の関係者や社内調査によると、少なくとも国内外の１２０台超のパソコンや、40台超のサーバーに不正に侵入された形跡が見つかった。……

この報道が出た日、三菱電機もようやく正式発表した。

> **不正アクセスによる個人情報と企業機密の流出可能性について**
>
> （略）昨年6月28日に端末の不審な挙動を認識後、速やかに外部からのアクセスを制限するなどの対策を講じ、また関係機関へ報告を行ってまいりました。社内調査の結果、防衛・電力・鉄道などの社会インフラに関する機微な情報、機密性の高い技術情報や取引先に関わる重要な情報は流出していないことを確認済みです。（略）

三菱電機の公式発表では、朝日新聞の報道と微妙に内容が違うところがある。三菱電機は、防衛や電力の重要情報は流出していないという。朝日新聞は流出した恐れがあると報じていたが、少し「あおりすぎ」だったのではないか。

ところが三週間後、三菱電機は新たな発表文を出した。

> 機微な情報、機密性の高い技術情報や取引先に関わる重要な情報は流出していないことを確認済みである旨を公表しましたが、防衛省への詳細報告を準備する中で、流出可能性のある情報として、防衛省の「注意情報」があることを2月7日に発見し、同日、防衛省

に報告いたしましたのでお知らせします。

「注意情報」とは聞き慣れないが、防衛省が「漏らしてはならない」と決めた重要な情報の一種を指す言葉だ。防衛省も同じ日、「三菱電機(株)による機微な情報の漏えいの可能性について」という発表をした。

漏れていない、と三菱電機が最初言っていた「機微な情報」は、漏れていた可能性がやはりあったのだ。

なぜ内密に通報せず、記者に話すのか

朝日新聞はその後も、漏れていたのは日本の最新鋭兵器「高速滑空ミサイル」の情報の可能性があること、三菱電機社内のチームが侵入者をはね返そうと極秘に死闘を繰り広げたことなど、独自の報道を続けた。市民が真実を知るため大切な報道だが、三菱電機や国が公式に発表した情報ではない。どうやってつかみ、記事にできたのか。

一連の報道に携わった、朝日新聞編集委員の須藤龍也に質問をぶつけた。

「経緯は言えませんが、一言で言えば内部からの情報提供です。ガチな話は内部からしか出てこないですよ。いろいろな日々のルートです」

日々のルート……須藤が毎日努力し、広げてきた人脈のことだ。三菱電機の報道の場合、別の朝日新聞の同僚記者との共同作業で、それぞれの人脈が補い合って生まれたという。だがいくら人脈といっても、報道されれば自分の会社にダメージを与えてしまう話を記者なんかに話そうという人がいるのだろうか。

「普通の人から見ると、会社への背信に見えるかもしれない。でも、社会のため、公益のため、これは表に出さなければいけないと思う人たちって本当にいるんです。会社から秘密にするよう命じられ、ただ素直に従うことが果たして正しいか、自問している人たちがいる」

三菱電機は、二〇一九年六月に問題を把握し、翌年一月に報道されるまで、この問題を秘密にしてきた。

「彼らの組織としての考え方、組織を守るための判断ではあると思います。ただ、一方でこれを世の中に明らかにしていくことが必要だという考え方がある。ある内部関係者は私に『うちの組織がこれだけやられているということは、ほかもやられているんです』と言う。三菱電機がやられてしまったことはもう仕方がない、それを白日の下にさらして、他の皆さんも、やられている可能性があるから調べてくださいと。次の被害を広げないための教訓として広めてほしいと、話してくれた人もいるんです」

隠せば会社の評判は守れる。だが知られないまま、静かに被害が広がり続けるかもしれない。

だから記者を信じて情報を託し、市民に知らせるよう求めた、そんな人がいる。市民の議論が起きれば対策も進むはずだと。だが、対策のためなら報道して大々的に知らせずとも、政府や関係当局に内密に通報する方が良いと考える人もいるのでは。

「いっぱいいます。サイバーセキュリティーや安全保障の分野の人たちは防衛や公安関係が多いので、基本的には情報は広げない発想です。私のやっていることをすごく不快に思っている人もたくさんいます。内閣サイバーセキュリティセンター（ＮＩＳＣ）なんかには目の敵にされていますからね。ま、それも内部情報で聞こえてくるんですけど……。でもそれはそういう立ち位置なのだから仕方ないと思います」

　情報を広く市民が議論して対策を考える民主主義の原則と、情報拡散のリスクを重視して少数の優れた者で適切に対処する秩序維持の発想とのせめぎ合いかもしれない。

「日本では、サイバーセキュリティーの議論はオープンにしない前提で進んでいます。アメリカも基本的には似ていますが、少なくとも公文書にして数十年後に公開するルールは徹底している。日本では公文書の管理や保管がずさん、記録を作ったり文書を積み上げたりしないまま終わっていることも多い。それでは継承ができない、教訓もノウハウも積み重ならないのです」

よく書いてくれた――社員からの反響

実は、三菱電機社内でも一時期はこれをオープンにすることが検討されていたと須藤は言う。秘密の情報源から、そう知らされていたのだ。

「発表しようとしていたんです。記事を出した二〇二〇年一月二〇日は月曜日、その直前の金曜日の午後三時過ぎに発表するという話があった」

金曜午後三時というのは大手企業が悪いニュースを発表する定番の日時だ。金曜午後の株式市場が終わるのが午後三時。これから株式市場は週末休みというときだから、急な株価への影響や市場の混乱を防ぐにはこのタイミングでの発表がいい。

「それが何らかの理由でポシャった。発表しないという結論に至りましたという社内でのやりとりも入手しました。これではこの問題は永久に表に出ないことになってしまいます。そこで（朝日新聞）社内の議論を経て月曜朝刊で報じることになりました」

ただ、悪いニュースといっても三菱電機を非難する方向に行き過ぎてはいけないというのが須藤の見方だ。

「サイバーセキュリティーの問題が起きたとき、とかく企業の不祥事として扱われがちです。しかし、彼らはハッカーの被害者なんです。情報流出の責任はあるかもしれないが、まず非難すべきはハッカー。その視点を忘れてはいけないと（朝日新聞）社内でも訴えました。そして、りもない。これは三菱電機に限った話ではない、日本全国の問題だという趣旨で解説記事を出しました」

須藤は「高い技術、防御は困難」という見出しの解説記事で、被害の大きさ、事態の深刻さだけでなくハッカーの攻撃力にも触れ、三菱電機を攻撃するためだけの「特注ウイルス」が使われたと表現している。特注だから、既存のウイルス対策が効かないということだ。

三菱電機が隠そうとしたサイバー被害を明らかにしたこの日の報道には反響があった。

「反響が大きかったのは、一般の人よりも実は三菱電機社内からです。私も初めての経験なのですが『三菱電機社員です。今回の記事を本当によく書いてくれた、ありがとう』というような声がすごかった。というのは、社員が一五万人いる巨大な会社で、社員は何も知らない。ある日パスワードを変えるようにとお触れが来ただけ。彼らも知りたい、だから朝日はどんどん書いてくれと言うんです。サイバー攻撃の事情に詳しいと推測される人からも『きちんと書いてくれてありがとうございます』と」

記者にとって報道への反響は本当にうれしい。

「それが後々の続報にもつながりました。朝日に言えばちゃんと書いてくれるということで」

中には須藤にこっそり面会し、この攻撃に三菱電機内部のセキュリティー特命チームがどんな必死の対処をしたか、書いてほしいと訴えた同社社員もいたという。それをきっかけに書かれたのが、最初の報道から三か月半後に出た「中国ハッカーに握られた社内ＰＣ　特命チーム暗闘の全貌」だ。ドキュメントタッチでハッカーの攻撃と三菱電機の防衛が再現されている。

「ただ、その人に具体的なことを尋ねようとしたら『立場上言えない』と」

書いてほしいと頼むなら、情報を提供しても良さそうなものだが、人にはそれぞれ事情がある。

「仕方ないので関係者を三か月かけて当たりましたよ、コロナ禍の中……。これまでの信頼関係がある人に紹介をお願いしたりしながら」

須藤はサイバーセキュリティーをはじめとするデジタル技術の専門家だ。実は、もともとは記者ではない。朝日新聞には最初、コンピューター知識を買われてエンジニアとして入社し、新聞製作など社内システムの管理運用を五年強担当した後、会社の求めもあって記者に転じた。そんなデジタルな背景がある記者も、取材の基本は「会うこと」だと強調する。信頼関係を大切にしながら人脈を作っていくことだという。

3　大物市議たちの公金流用

市議が記者のメモを奪って取材妨害

富山市議会の三分の一以上に当たる一四人の議員が半年ちょっとの間に辞める。そんな異常事態が二〇一六〜一七年に起きた。辞めた理由はいずれも「政務活動費」の不正発覚だ。政務活動費とは、議員が政治活動をするために必要な経費のこと。例えば有権者向けに市政報告会を開けば、資料の印刷代、参加者に出すお茶やちょっとした菓子の代金がかかるが、そんな費用だ。みんなの政治のための費用だから、一定限度内は市の公金でまかなわれる。ところが議員たちは、資料の印刷代がかかったとしてお金を受け取りながら、そんな印刷代は払っていなかった。払っていない経費を公金から受け取れば、丸もうけである。払っていない印刷代を払ったと見せかけるため、領収書の偽造までしていた。問題は富山市議会のほか富山県議会、同県高岡市議会にも及び、不正に議員が受け取った金額の合計は七〇〇〇万円を超えた。すべて、人々が払った税金から出た金だ。

これらが発覚したのも、記者の独自取材と報道だった。

前段に一つの事件がある。

「会長の許可も受けずに取材しているくせに、何だっ」

地元富山の北日本新聞の女性記者が富山市議会自民党会派控室で取材中、怒声を浴びせられた。取材の相手からではない。取材相手の村山栄一市議は質問に答えていたのだが、この控室に戻ってきた自民党会派会長の中川勇市議が、取材の様子を見ていきなり「何をやっているんだ」と大声を上げたのだ。中川は、その場で取材していた別の北日本新聞の記者たちや、取材を受けていた市議たちにも「答えるんじゃないっ」「出ていけ」と怒鳴りつけた。

さらに女性記者はペンを持つ右手の手首を中川につかまれて押される格好になって倒れた。メモした用紙を中川に取り上げられ、再三にわたって返すよう求めたが、中川は応じなかったという。記者にとってメモは重要な財産である。取材相手の打ち明けてくれた大切な内容、プライバシーに関わることが書かれている場合もある。

記者たちがこのとき取材していたのは、市議会議員の給料（議員報酬）の月一〇万円アップ案だ。当時、社会部で取材を取りしきる立場だった北日本新聞の片桐秀夫論説委員は私の取材に振り返って話す。

「一〇万円アップは市民感情からずれていて、それをやってしまおうというのはおかしいのではないかと。だが会派としての意見を聞けば、どの会派も統一見解のようなことしか言わない」

市議会では政党やグループごとに「会派」を作り、会派として賛否や意見を決めることが多い。だから、会派として給料値上げに賛成かどうか聞けば一通りは取材完成だ。だが、それでは表向きの話しか出てこない。それに私たち市民が政治について考えたり参加したりするとき、「会派」の見解を読んだだけでは足りない。

「(選挙では)俺たちは一人一人選んでいる、地元だからと共産党に入れる人も、関係ないのに公明党に入れる人も――」

共産党は左派政党だから、保守的な人はあまり近寄らない。だが、自分の近所の人がたまたま共産党から立候補したとなると、よく知っていて信頼できる人だからと投票する判断もある。公明党は創価学会という宗教団体が強く支持し関係が深いが、そこと関係ない市民の中にも公明党の政治家個人への信頼から投票する人はいるだろう。となると、市民から見れば、何党の議員だから全部一緒くたとは言えない。

「だからちゃんと市議一人一人に考えを聞こうよと。手間もすごくかかるし、面倒くさいだろうし、それでも」

それで、記者たちは議員一人一人に会い、給料値上げに賛成か反対か、どうしてか、細かく聞いていたのだ。片桐は言う。

「そんなことができるのは地方紙だと思う。スタッフ的にも、紙面的にも」

地方議会の取材に何人もの人手を割けるのも、四〇人分もの声を見渡せる紙面を割けるのも、地元取材と報道に特化した地方の新聞ならではというわけだ。

ところが、その取材で女性記者が政治家から野蛮なやり方で攻撃された。

中川が女性記者を押して記者が倒れたことやメモを奪い取ったりしたことは露骨な取材妨害、市民への情報妨害だ。だが、市議会の主要会派の会長となれば有力者であり、重要な取材相手でもある。どうすればいいのか。人間関係を重視して、丸く収めるか、それとも——。

北日本新聞は「丸く収める」のではなく闘うことを選んだ。新聞社にとって闘うとは、報道すること。真実を社会の「運営側」である市民に伝えることだ。だから北日本新聞は翌日の一面トップ記事でこの事件を報じた（三九ページの、女性記者が押され倒れた経緯の記述はこの報道に基づく）。

報酬問題で取材妨害　富山市議会自民会派・中川会長　本紙記者からメモ奪う

富山市議会の議員報酬を引き上げる条例改正案を巡り、市議会最大会派・自民党の中川勇会長（68）が9日、市役所内の会派控室で市議に話を聞いていた北日本新聞の女性記者を押して倒し、メモした用紙を力ずくで奪うなどして取材活動を妨害した。別の記者が話を聞いていた市議にも大声で指示し、取材を打ち切らせた。中川会長は「許可無く取材していたので（用紙を）回収した。記者が倒れたのは認めるが、倒していない」と主張している。北日本新聞社は同日、暴行と窃盗の疑いで富山中央署に被害届を出し、受理された。

……

「許可無く取材」というが、議員と話し、意見を聞くことは許可制なのか。議員とは何か。地方議会や地方自治とは――。この日、記事を読んだ市民から記者への励ましや市議への怒りの反応がすさまじかったという。もともと議員の給料引き上げ問題自体、報道への反響は大きかった。当時まだ北日本新聞はＳＮＳを開設しておらず、手紙、はがき、ファクス、メールなどだ。

「北日本新聞は（給料引き上げ問題を）大きく扱い始めたところから反応が来始め、彼女の（取材妨害の）ことがあり、『やってくれ』という声がずいぶん来ました。最終的には三〇〇、四〇〇と来た記憶があります。僕ら地方紙にとっては考えられない数ですし、ＳＮＳと違いますよね、手紙やファクスで手書きで書いてくれるのは……一通一通がすごく重いです」

政務活動費「本代四六〇万円」はうそだった

北日本新聞の記者たちは、議員の活動をより詳しく調べ始めた。その一つが政務活動費の実際の使い道を確認することだ。片桐の話や北日本新聞の本『民意と歩む　議会再生』によると、この取材ではまず、政務活動費を使った記録として領収書などの文書が役所に保存、公開されているので、閲覧して精査するところから始まった。

その中で、県議会副議長の矢後肇議員の政務活動費に妙な支出が見つかる。『現代おさかな事典』『発酵ハンドブック』など、政治活動と関係なさそうなのに値段だけは数万円もする本をたくさん買っている。四年半で四六〇万円もの本代だ。つまり、「四六〇万円も本代に使ったが、すべて政治活動に使う本だから、払った本代は公金からください」と請求し、四六〇万円もらったということだ。

これを見つけた北日本新聞の記者たちは、出版社や書店に一件一件確認し、矢後は本当はこれらの本を購入していない疑いが強まった。もし県議会議員が買ってもいない高価な本の、偽領収書を作って県に提出し、県からお金を払ってもらえば、その金額は議員の丸もうけとなる。もちろん公金をだましとる犯罪行為だ。

北日本新聞の直撃取材に対し、矢後は、一部だけ不正を認めた。「本を全く買わずに偽領収書を出す」という丸もうけ行為をしたわけではないが、資格のテキストなどを買ったのに『現代おさかな事典』などを買ったことにして公金で支出してもらったという。買ったことになっている四六〇万円分もの本のうち、本当に買ったものもあるが捨ててしまうなどして現物は残っていないともいう。どうも疑わしい。が、これを打ち破る証拠もない。少なくとも一部は不正を認めたわけで、北日本新聞は直ちに報道した。

> 矢後県議　政務活動費不正か　書籍購入４年半で４６０万円
>
> 　県議会副議長の矢後肇氏（56）＝自民、高岡市醍醐＝が政務活動費で書籍を購入したと報告しながら、実際には少なくとも一部は購入していなかった疑いがあることが12日、北日本新聞の調べで分かった。……

　矢後はこの記事が出た日の夜に記者会見し、実は四六〇万円の本代はすべてうそだったことを認めた。やはり偽領収書で丸もうけをしていたのだ。北日本新聞の取材に対する説明もうそだったことになる。矢後はまもなく議員辞職した。

　取材を始めた記者たちが北日本新聞のほかにもいた。地元のＴＢＳ系テレビ局「チューリップテレビ」の取材班だ。担当した報道記者の砂沢智史らも疑問を持ち、富山市議会の全議員四〇人の政務活動費三年分の資料を情報公開制度で請求したのだ。情報公開とは、政府や県庁、市役所など公共機関が持っている文書なら原則として何でも市民の求めに応じて見せる手続きのことだ。私たちの役所がきちんと仕事をしているか、不正はないか、確認できる。政府や役所が持っている資料の最終的な持ち主は、社会の「運営側」である市民だ。政府はあくまで、市民の指示を受けて――細かくいえば、市民が選んだ国会や地方議会の決めたことに基づいて――行政をするものだからだ。

情報公開制度では、文書は見るだけでなくコピーも取れる。砂沢の公開請求は量が多かったため、コピー代だけで一五万円、書類の山だ。砂沢は私の取材にこう話す。

「北日本新聞が、県議会議員（矢後）の政務活動費の不正をスクープしました。こんなこともあるのだ、自分も市議会議員の政務活動費を開示請求しているが、この中に、県議会議員の不正のようなものもあるかもしれない――」

矢後の不正を暴いた北日本新聞の報道が、別のメディアの記者たちも力づけたのだ。

「僕と先輩の二人で、夜ちまちま見ていきました。経費を使った責任ではないけど」

一五万円も会社の経費を使って入手した資料は無駄にできない、という感覚になるのも当然だろう。それもあり、日常の取材が一段落した夜に、一枚一枚めくり続けたという。だが、あてもなく資料をめくり続ける状態から、あてのある状態に変わった。

「結果的にラッキーだった部分があって。政務活動費の情報公開請求が今までなく、珍しいのか警戒されたのか……情報公開請求をしたことが、議会事務局から議員に漏れていました」

大問題だ。公開への妨害圧力を招きかねない。

「それが、請求したことが知れ渡って、結果的に情報提供者が出てくるきっかけになった」

政務活動費の書類を情報公開請求で大量に手に入れ、調べている記者がいる。そんなうわさになったこと自体は本来のルールに反する情報漏れであるし、内密に進めているはずの取材の手の内がばれてしまうことだが、何がラッキーかは分からないもの。うわさを聞いて逆に協力しようという人が現れたのだ。どんな情報提供なのか。

「中川さんが印刷代で不正をやっているようだという話がありました」

中川勇――記者たちに控室で「何をやっているんだ」と大声を上げ、取材を止めさせたあの大物、市議会自民党会派会長の中川である。

「詳しくは言えませんが、ある日、会社に電話がかかってきて、一緒に調べている先輩がその電話を受けた。『中川さんが印刷代の不正をしているようだ』、内容としてはそれだけです」

火のないところに煙は立たない。書類の山から中川が関係しそうなものを洗い出すことになる。砂沢たちは領収書に書かれた金額、内容、業者名、使途を整理する。印刷資料を「市政報告会で配った」と書かれていれば、その会場施設に取材し、本当に会合があったか確認する。印刷業者にも確認の取材をする。

取材とは不思議なもの、いやコミュニケーションは常に不思議なものだ。実際に訪ねて、会って話をすると、相手の表情が微妙に動いたり、話し方がわざとらしかったりすることに気付くこともある。何かを隠そうとしているのではないかと感じ取れる場合もある。記者はそんな取材を繰り返す。

砂沢の話や、チューリップテレビ取材班の本『富山市議はなぜ14人も辞めたのか　政務活動費の闇を追う』（岩波書店）によると、ある公民館では三五〇部の資料を配ったことになっているのに、到底そんな人数は入らない施設だった。会合に参加していそうな住民に聞くと「報告会は開いていない。酒を飲んで集まっただけ」という証言が出てくる。少なくとも報告会が三回開かれたことになっている富山市東部地区センターでは、中川が市政報告会を開いた記録はなかった。施設管理者によれば、そもそもこの施設は政治活動目的では使えないというのである。

市議の中川はチューリップテレビの砂沢らの直撃取材に、その三回とも事情があって会場を変更し、飲食店など別の場所で開いたと、なぜかすらすら話すのだが、そのうちの飲食店一店に記者が確認すると、そこでも開かれていない。つまり、行われていない市政報告会で資料を配ったことになっている。その印刷代として、公金を受け取っている。

こんな裏付け取材を重ね、報道の口火を切ったのは砂沢たちのチューリップテレビで、二〇一六年八月一九日の夕方のトップニュースだった。

政活費　事実と異なる報告
議員報酬の引き上げをめぐって批判をあびた富山市議会に、疑惑が浮上しました。最大会派・自民党の市議会議員が、実際とは異なる内容の報告をして、政務活動費の交付を受けていたことが分かりました。……

「ズバッと言う」のは報道の役割ではない

この報道は、印刷代を着服したとは報じていない。弱腰なのだろうか。だが、このとき当の印刷業者が砂沢たちの取材に「中川市議には領収書の通り、印刷代を払ってもらっている」と証言していたのだ。となると、確実に裏付けがある事実は、

①市議の中川勇は「市政報告会を地区センターで開いた」と市議会事務局に報告し、政務活動費を受け取っている
②だが少なくとも、市政報告会のうち三回が開かれたことになっている東部地区センターではそんな会は開かれていない
③中川は「予定を変更し別の場所で開いた」と言っているが、その「別の場所」のうち少なくとも一カ所は市政報告会は開かれていないと証言している

④「別の場所」のもう一カ所での会合は、参加者が「普通の新年会で市政報告はなかった」と証言している。ここでも市政報告会は開かれていなかった

⑤市政報告会の開催場所を事情により変えたのが本当なら、市議会事務局に出した書類には変更後の開催場所を書けばいいのに、なぜか地区センターで開いたと三回にわたり書いている

⑥そもそも地区センターでは市政報告会は開けない決まりになっている

⑦問題の政務活動費のうち「印刷代」については、印刷業者は実際に支払いを受けたと話している

――ということになる。中川の説明には無理があり、本当は市政報告会などあらかた架空ではないかと疑うのが自然だ。だが、疑わしいとはいえ、取材ではそこまで裏付けられなかった。印刷代についても実際に払ったのかどうか、砂沢自身も、印刷業者がうそをついているのではないかと感じたが、「印刷会社がそう言っている限り確かめようがない」と判断せざるを得なかったと振り返る。

報道の役割は事実を市民に知らせること。事実というからには、確実な裏付けがなければならない。そうでなく、読者視聴者の胸のつかえが下りるよう、ズバッとしたことを言うのなら、

それは快感狙いであり、つまり娯楽だ。報道の役割ではない。報道としてはこの段階では、開催場所が事実と違う、つまり「政活費　事実と異なる報告」が、記者が市民に誠実に報告できる最大限となる。

　せめて「実態はもっと腐っているに違いない」「これはひどい不正であって怒るべきだ」と論じてほしくもなる。これらも「事実」（ファクト）というより「議論」（オピニオン）の部分だろう。となると、記者ではなくむしろ視聴者や読者、つまり市民に任されるべき部分だ。報道メディアが「論」を伝える場合もあるが、「解説」や「論説」などオピニオン記事として区別される。オピニオン記事は、安易なものなら取材しなくても書ける。それもあり、このネット時代にはあふれかえっている。事実報道（ファクト記事）は取材と裏付けが欠かせないから、そうはいかない。

　では、事実報道は意見と全く無縁なのか。そうではない。「政活費　事実と異なる報告」という事実を報道するのは「これは大切な問題だ」という意見がまずあるからだ。もし、ある報道メディアが「政活費の使途なんて問題にすべきではない。議員は議会内の発言のよしあしだけで評価すればいい」という意見なら、そのメディアは政活費問題を報じない選択をするだろう。記者は意見でなく「事実」を伝えるが、その事実を「伝えよう」という判断には必ず意見がある。そういう、ちょっと複雑な関係にある。

そしてこれは「報道に『中立』はあるのか」という問題につながっていく。その点はまた後で触れることにする。

不正を報じられた市議が失踪

翌朝、同じ内容の調査を続けていた片桐たちの北日本新聞も朝刊の社会面トップで報じた。

中川富山市議、報告誤り　東部地区センター、記載の会合開かず
資料代１０５万７１００円受給　政務活動費

　富山市議会議員の中川勇氏（68）＝富山市清水元町＝の２０１３年度と14年度の政務活動費の報告に誤りがあることが、北日本新聞の取材で分かった。市東部地区センターで７回にわたって市政報告会を開いたとし、その資料のコピー代として計１０５万７１００円（１８３０部）を市から受け取っているものの、同センターで報告会を開いた事実はなかった。……

同紙の記事は中川が二〇一三～一四年度に開いた多数の「市政報告会」のうち七回は東部地区センターが会場だったのに、実は東部地区センターではそんな会合は開かれていないと指摘している。市政報告会のたびに中川は印刷代二一万七〇〇〇円〜四万六〇〇〇円を受け取っているが、ここでも、印刷代の支払いは架空でないという印刷業者の説明を伝えている。

チューリップテレビと北日本新聞の報道後、異変が起きた。あの強気だった中川が失踪したのである。自宅に遺言らしいメッセージを含む書き置きと携帯電話が残されていた。

砂沢はこれを聞いて青ざめた。

「もう記者を辞めようかなと思ったのが正直なところです。そのときは記者になって二年目です。メディアの被害者が生まれるのは当然、聞いて知ってはいるけれども、まさか自分の書いた記事でそうなるとは、思ってもいなくて」

中川が自殺するという最悪の事態を砂沢は考えた。

「万が一があったら——自分の気持ちが耐えられるかなというのはありました」

政治家の不正行為という重要情報を、事実として確実なことだけに絞り、大げさにならないように報じた。伝えなかったらむしろ報道メディア失格だ。そんな必要不可欠なニュースでも、当事者にとって報道されることは大きな衝撃になる。それが分かる出来事だ。

中川は失踪した日の夜、市役所の駐車場に止めた車の中で弱った様子でいるところを発見され、ロープも持っていた。入院を経て、約一週間後に記者会見を開いた中川は、不正を認めた。市政報告会を開いていなかったことだけではない。疑惑の中心、一〇〇〇万円を超す「資料印刷代」も架空だったと認めた。本当は印刷会社に払っていないのに、払ったように見せかける偽造領収書を作り、請求し、受給していた。その金は主に酒を飲むのに使ったのだという。中川は議員辞職した。

印刷会社はそれまで、取材に「本当に中川市議から印刷代の支払いを受けた」と、中川の以前の弁明に沿う説明をしてきた。だがこれは、記者たちの取材に感づいた中川が、印刷会社に対して口裏を合わせるように工作した結果だったのだ。不正を暴く取材の過程ではこんなことがしょっちゅう起こる。何を取材しているかを相手に感づかれれば、証拠隠滅や口裏合わせ、取材拒否が起きるのはむしろ通常のことだ。かといって、感づかれないようにと取材自体を躊《ちゅう》躇《ちょ》するようでは本末転倒になる。進め方が難しい。中川がすべてを認めた後、印刷会社も「資料印刷をしたことはない」と事実を認め、謝罪した。

このときにも砂沢は悩んでいる。

「印刷会社の社長には、なぜうそをついたのですかというような話をしたりもしたのですが、『自分にも家族がいる』といった話もされた。印刷会社は不正に荷担してはいるけど、利益は何も得ていなかった。お父さんから社長を継いだ方で、中川さんはお父さんと親しくしていて領収書の束をもらっていた」

白紙領収書の束、つまり未記入で印刷会社の社名や印だけがある領収書をたくさん入手すれば、そこに自分で金額や日付を書き込み、印刷会社にお金を支払った証拠のニセモノを自由に作れる。経費を払った証拠の捏造《ねつぞう》材料の束ということになる。

「でも息子さんはそんなことは知らず、報道が出て初めて自社の領収書がそこにあると知ったような形で……。僕らが調べていることを察知した中川さんは、印刷会社のその若い社長に口止めをしたりして、巻き込まれてしまった状態でした。当然、印刷会社の人にも生活がある。また（議員による政活費の架空支出先として利用された）ほかの印刷会社や酒屋さんとか、議員でない業者の人たちがすごく弱い立場にあるのを見て、誰かを不幸にする部分もあるのを実感しました」

とはいえ、事実がそうなら、市民はそれを明確に知った上で、正当な範囲で批判し、正当な範囲で同情すべきものだ。それ以上のバッシングや生きづらさは、本来、情報を伝えたこと、知ったことの問題ではなく、一部の人々の不寛容や底意地の悪さの問題のはずだ――が、現実にそうなってしまう心配は確かにある。それを分かった上でなお報道することをどう考えるか。記者として逃れられない重い問題といえる。

取材合戦から「辞職ドミノ」へ

一方で、市議会議員たちの不正は中川では終わらなかった。どうもこれはおかしいと感じた富山の記者たちは、あらゆる議員の政務活動費を片端から調べ始めたのだ。いわば取材合戦である。すると不正が次々に見つかる。そのたびに報道され、議論が起きる。そうした報道活動の結果が、議員総数の三分の一以上に当たる一四人が相次いで議員辞職する「辞職ドミノ」だった。

この取材合戦には富山で取材する多くのメディアが加わり、激しいものとなった。北日本新聞の片桐は振り返る。

「大変でした。ほぼ抜かれているのではないかというぐらい――」

抜かれるというのは、ライバル社が重要なニュースをすっぱ抜いて報道し、自分たちは先を越されて、競争に負けることをいう。記者としては面目丸つぶれでつらい。だが多くのメディアが取材合戦を繰り広げた場合、「抜く」側は一社、それ以外は全部「抜かれる」わけで、結果的に「抜かれる」場合の方が多くなる。北日本新聞は地元の最有力メディアだから取材力も強く、片桐はかなり謙遜しているようにも思われる。それでも「抜かれる」ことがいろいろあるほどの取材合戦だったのだろう。

「テレビも、北日本放送（日本テレビ系）、ＢＢＴ（富山テレビ放送、フジテレビ系）、チューリップテレビ（ＴＢＳ系）がしのぎを削り合った。新聞も、共同通信と朝日新聞、毎日新聞、中日新聞もやって……大阪からも（応援記者の）人が来て……。お互いに、良い意味で切磋琢磨になっていたと思います」

こうした競争があったからこそ報道がお互い充実し、多くの市議会議員の不正を発掘したということになる。新聞やテレビはどれも似ているから、一つあればいいとはいえないわけだ。

「競争したのは良かったと思います。やはり多様なメディアがあってこそ。地方によっても違うでしょうが、うち（北日本新聞）は富山県出身者も多く、ここに骨を埋めるつもりで、だからこそ責任を持った報道ができる。一方、全国紙の記者は転勤で来られ、数年で行ってしまうから、バサッと斬ってどこかに行くこともできる、だからこそ言えることもあるし、初めて富山に来た人だから『ここの点は富山はおかしいのではないか』と気付ける点もある。全国紙と地方紙は仲良くはないですが、お互い補完し合う。地元紙だけでも駄目でしょうし、全国紙だけでも駄目だと思います」

チューリップテレビの砂沢にも、報道の役割を聞いてみた。特にこの時代、ＳＮＳとどう違うのか。

「顔が見える記者とまではいえないかもしれませんが、ＳＮＳよりは誰が取材して誰が書いたのかはある程度公表され、分かると思います。テレビの場合レポートをして顔を出す。プロの記者はそういう責任がついていると思います」

砂沢は付け加えた。

「SNSでもグーグルでも、ニュースを検索するとAIの力で自分の好きそうな話題ばかり上がってくる。あれは怖いなと常々思います。明らかに好みに寄せられたものが集まり、そればかり見ているとどのように染まっていくのだろうと不安です」

一方、北日本新聞の片桐は言う。

「面倒くさい申請（公文書の閲覧などの手続き）をして、一枚一〇円でコピーして段ボールで持って帰るなんて、素人がすることではないです」

確かにあまりの負担である。まして、それを一枚一枚、ひたすら毎日めくって不正がないか調べるなど、プロでなければやっていられないかもしれない。

「これが抑止力になるのではないかと思います」

こういう労働を引き受ける記者たちが現にいるので、そう簡単に不正はできないというわけだ。

「そんな『お目付役』は大切です。それがいないと権力は絶対に腐るんです。ずっと見ているぞ、特に地元新聞は……と。そういうのがいるのといないのとでは違う、より良い社会を作っていくには欠かせない構成員かなとは思います。そういう仕事も面白いのではないかという気がしますよ」

記者たちが市議たちの不正を報じて起きた「辞職ドミノ」。それによって生まれた多数の空席を補充する補欠選挙が二〇一六年一一月に行われた。さらに二〇一七年四月には任期満了に伴う通常選挙が実施され、これら二つの選挙で多数の新人議員が当選した。彼らは富山市議会議員の定数三八のうち半数に当たる一九人を占めた。

4　防衛省のずさんな調査

地元が地上イージスの設置場所に

他国がミサイルを日本に向けて発射すれば、日本から迎え撃つミサイルを発射し、上空で撃破する——これが、ミサイル防衛の考え方だ。現在はイージス艦と呼ばれる船が日本側からのミサイル発射を担うことになっているが、このイージス艦の役割をまるごと地上に設置しようというのが地上イージス（イージス・アショア）である。

問題はどこに置くかだ。重要な防衛施設である一方、万一の武力紛争時には相手国から狙われるかもしれない。日本側からのミサイル発射時、地元にミサイル部品が落下する可能性もある。近辺はむしろ危険になるかもしれない。

地上イージスの配備を最初に報道したのは読売新聞だった。二〇一七年一一月一一日朝刊で「陸上イージス、秋田、山口に　政府調整、陸自主体で運用」と報じた。秋田県と山口県に配備するという「方向で最終調整に入った」という。「最終調整」というのは「ほぼこの方向でまとまりそうだ」という状態だが、正式決定ではない。そんな段階では政府は発表しない。つまり、発表によらず、読売新聞の記者が取材で非公式に情報をつかみ裏付けを取って書いたスクープだ。地元は寝耳に水で大変驚いたはずだが、国は正式には認めない。

結局、国が「秋田と山口に地上イージスを配備する」と正式に認めたのはそれから半年以上後だった。防衛省は二〇一八年五月、秋田県秋田市の陸上自衛隊新屋演習場、山口県萩市の陸上自衛隊むつみ演習場を選んだと公表した。なぜ他の地域ではなくこの二カ所なのか。

答えは、防衛省の報告書にある。秋田など地元への説明としても用いられた報告書「イージス・アショアの配備について―各種調査の結果と防衛省の検討結果について―」によると、まず北朝鮮からのミサイルに即時対応するため日本海側で、かつ日本全体をカバーするため日本北部と西部に一カ所ずつ、平らな国有地が道路・電気・水道を使える場所にあり、津波の影響を受けにくいこと。そして、視界が良いことだ。

視界の良さは、ミサイルをレーダーで発見するために欠かせない。レーダーは電波を使うので、建物や山があればさえぎられ、そちらの方角から何かが飛んできても発見できない。そのため地上イージスの近くに高い建物や山がないことが条件になる。

この「視界の良さ」をクリアできなかったため、青森県鰺ヶ沢町、青森県西目屋村、秋田県にかほ市（二カ所）、秋田県由利本荘市（同）、秋田県男鹿市、山形県遊佐町、山形県酒田市の候補地計九カ所は除外された、と報告書にはある。それらの近くの山の角度はいずれも一五度から二〇度の急角度でそびえ、レーダーをさえぎるのだという。それらの候補地が外され、結局地上イージスの設置場所は秋田に決まった——この政府の説明を秋田の人々は信じたはずだ。地元紙の秋田魁新報が二〇一九年六月五日、「この数字は事実に反する」と一面トップ記事で報道するまでは。

適地調査　データずさん　地上イージス配備　防衛省、代替地検討で

イージス・アショア（地上イージス）の配備候補地を巡り防衛省が先月公表した「適地調査」の報告書に、代替地の検討に関連して事実と異なるずさんなデータが記載されていることが4日、秋田魁新報社の調べで分かった。電波を遮る障害になるとするデータを過大に記し、配備に適さない理由にしていた。……

この記事によると、地上イージスの「落選」候補地の一つは秋田県男鹿市だった。防衛省の説明では山が一五度の高さでそびえ立ち、レーダーをさえぎることになっていたのに、本当は山の角度は一五度でなく四度にすぎないという。別の「落選」候補地、秋田県にかほ市でも、

山の角度は防衛省がいう一五度ではなく一〇度だと、記事は指摘する。それなのに、「一五度」という事実と異なる数字を示しておいて、「だから配備するなら秋田市新屋演習場しかない」と説得していたことになる。わざとうその数字を作ったのか、何らかの計算ミスかはなんともいえないが、わざとなら社会の「運営側」である市民を政府がだましたことになるし、ミスなら異常にお粗末だ。

山の角度が間違っている！

一方、新聞記者の側はどうやってこんなことをつかんだのか。このニュースを報道した秋田魁新報記者の松川敦志に聞いてみた。松川にとっても、読売新聞がその一年半前に「秋田に地上イージス配備へ」というニュースを報じたのが、始まりだったという。

「最初は読売さんが書くわけですよ。土曜の朝刊、特ダネで……」

松川はイージス配備の背景を調べ始めた。

「いろいろ調べていくと、いやこれはちょっと、なかなかなものを地元に作ろうとしているぞ、という感覚で。しっかりやらなきゃいけないなと思ったんです」

松川は前職の朝日新聞記者時代に沖縄勤務の経験があり、日米の安全保障問題にも詳しい。アメリカ連邦議会の議事録やＣＳＩＳ（戦略国際問題研究所）の報告書を読みこなす。それとともに、地元の政治家、首長たちの動きも追う。これらをもとに秋田魁新報は二〇一九年一月、連載記事「盾は何を守るのか」をスタートした。イージスという言葉はもともと、ギリシャ神話の女神アテネの使う盾を意味するからだ。

その連載の途中で、五月二七日、問題の報告書が公表された。一〇〇ページを超すこの資料は、秋田市新屋演習場に決めた理由を説明している。松川が気になったのは、ほかの候補地では駄目で、秋田市新屋演習場しかないと詳しく説明する章だった。松川は妙に気になり「やっちゃってるんじゃないか」と疑った。何かごまかした説明を仕込んではいないだろうか……。

「ほかの候補地を一九カ所挙げて、ほかに（地上イージスを）置けそうなところはこの通りないから、もうここ（秋田市新屋演習場）にやるしかないんだというストーリーを組み立てているんですが、あんな住宅地に近いところが唯一クリアしていてほかは駄目なんてことはあり得ない」

実際、秋田市新屋演習場は住宅地ばかりか、小学校、中学校、高校とも数百メートルの距離にある。ここにミサイル防衛の拠点を置くなんて危険だと、地元も反対するだろう。なのに、ほかに条件の良い候補地はない、と言われると首をひねりたくなる。

防衛省報告書の五七ページには「落選」した秋田県、山形県の候補地計四カ所と、近くにある山の高さが書かれている。四カ所とも、そばの山がレーダーをさえぎるほど急角度でそびえ立つので「不適」だという。三つは鳥海山（二二三六メートル）、一つは本山（七一二メートル）が邪魔になり、それぞれ角度は一五〜二〇度だと同報告書は図示している。

松川は妙なことに気付いた。この図では二〇〇〇メートルを超す鳥海山と七一二メートルの本山とが同じような高さに描かれている。いや、縮尺が違うだけだろうか。本山の高さと、本山から候補地までの距離の二つの数字を、角度を計算してくれるネット上の計算サイトに入力してみると、四度だった。一五度という防衛省報告書と大きく違う。レーダーをさえぎる高さといえないのではないか。防衛省報告書に、事実と違う数字が書かれているということか？

松川は現場を調べることにし、車を走らせ、現地から本山を見た。確かに、そんなに高くそびえ立っているようには思えない。が、どうやって山頂の角度を測るか。もう午後も遅い。太陽が本山の山頂付近に少しずつ近づいている。

そうだ。太陽だ。

太陽の高さを、場所と時刻から割り出すカシオ計算機のウェブサイトがある。それを使ってみることにした。

「日にちとその地点の緯度・経度を入れると、あと一時間ぐらいで（太陽の高さが）一五度になることが分かりました。一時間待ったところ、まだ全然山より高い」

つまり、この一時間後の時点で太陽が一五度の高さであり、山はそれよりずっと低いということだ。防衛省の資料では一五度のはずの山は、実際には一五度より低いことになる。では何度なのか。さっき計算した四度なのか。

「カシオのサイトで見ると、さらに一時間近く待てば、太陽の角度は四度になる。もし本当に山の角度が四度なら、一時間後には太陽と山頂がぴったり重なったりするんじゃないかと思ったら、本当にぴったり重なりました。これは、いった（ヒットした）じゃないかと」

防衛省の資料で「山の角度が一五度、急すぎてここには地上イージスは置けない」と書いてあった山は、一五度ではなく四度だったのだ。

返答は「本日はお答えできません」

松川は会社にすぐ戻り、問題を報告する。

「でも、容易に信じてもらえないわけですよ。『いや待て、分かるけどお前は文系だし』とか言って……」

上司たちとしても不安だろう。防衛省の正式文書の核心データが間違っているという重大報道になる。誤報は許されない。事実確認を厳重に行うため、松川は一計を案じた。

「じゃあ、明日測量しましょう、と。業者に頼んで測量して、あとは大学の先生に確認の取材をして」

測量のプロにあらためて山の角度を正確に計ってもらった上、一連の取材が的外れなものかどうか、念には念を入れて大学の研究者への取材で確認したのだ。その結果、どちらも「(防衛省のデータは) 間違っているということになったので、防衛省にすぐ質問状を書きました」

いよいよ防衛省にこの事実をぶつけ、見解を問うときである。

「(普段は) 防衛省に秋田魁新報が質問しても、本当にたなざらしなんですよ。何日もほったらかされて『先週送ったあれ (質問) ってどうなっていますか』みたいな……。それが、このときは一時間で電話 (返答) が来たんです。初めてです」

その返答とは――。

「『本日はお答えできません』というのです」

それは返答といえるのかどうか。

「先方に『それだと良くないですよ、うちはもう明日 (の朝刊に)、これを書くつもりなので、そのときにノーコメントというのは地元にまた印象が悪くなるから答えられることは答えた方がいいです』と言ったんですが……。『とにかくこれは今日回答しないと決まってしまったので』『本当にそのまま書きますけど本当にいいですか』『もう構いません』というような流れです」

政府機関がノーコメントの対応をすることはある。だがデータが間違っている、というメディアの指摘に「答えられない」という対応は考えがたい。防衛省にとって、松川の指摘が的外れだったなら「そちらの計算の仕方が間違っているのです、報告書は正しいですよ」と説明し、記者に速やかに記事をあきらめさせようとするだろう。メディアが事実と違う記事を出そうとしているわけだから、官庁の危機管理の観点でもそうやって報道を止める。一方、記者の質問が図星だった場合、報道を止める手立てはまずないわけで、官庁側の事情を説明し、報道をマイルドにさせる戦略になる。そのため事情を説明したりコメントを送ったりするものだ。

「複雑な話ではないんです。疑いようもなく絶対に違うのに、違うかどうかも認めない。それもむしろニュースを構成する要素となった」

確かに、重大問題が発生しているのに不可解な態度を取れば、それもまた新たな問題になる。こうして出たのが、「適地調査　データずさん」という秋田魁新報の大スクープだった。防衛省はその日のうちに、データが事実と違うことを公式に認めることになる。

この報道を、毎日新聞は一面トップで後追いし、ＮＨＫも大きく報道した。朝日新聞は後追い記事は小さかったが、社説で大きく問題にした。そんな、ほかのメディアも合流する報道の中で国会でも問題となる。

防衛省は翌年六月、秋田県と山口県への地上イージス配備方針を撤回した。代わりの場所を見つけることは困難で、結局地上イージスの配備自体が白紙に戻った。

権力監視の目で見ようとしなければ見えない

松川は防衛省の報告書にあやしさを感じ、徹底的にチェックしてこの問題を見つけだした。

「あれに関していうと、難しくはないんです。そのまんまの姿勢で見ていけば――」

秋田市新屋演習場しか適地がないというのは本当だろうか、間違いやごまかしはないかという権力チェックの姿勢で見るということだ。

「そうすれば、ある程度のスキルを持ったジャーナリストは絶対に気付く。僕しか気付かなかったのは、同じような考え方であの報告書に臨んでいた人がいなかったからではないでしょうか。ほかのメディアは、例えば、今度（防衛省による地元への）説明会をやります、というだけ、取材に行けば『こんなやりとりでした』と報じるだけ、でしかなかったんです」

説明会をやる、こんなやりとりがあった、というのも「事実」ではある。だが、それではその奥にある「本当のこと」、つまり真実を市民に示せたことにはならない。そんな真実は、疑問の目、権力監視の目で見ようとしなければ見えてこない。のんきな記者だった私にとって、耳の痛い指摘だ。だが、疑問の目で見るのは、揚げ足を取るように思われないだろうか。

「僕はこの仕事は社会の中でも特殊な場所を占めている仕事だと思っているんです。『特別』な場所じゃないですよ。特別というと上の方という印象がありますが、そうでなく『特殊』。

特殊な仕事は世の中にいっぱいありますが、僕らも特殊で、権力監視的な姿勢から『本当のところはどうなの、ちゃんと皆さんやっているのですか』と……独立した報道機関の立場から徹底的に見るという特殊性です。これは代わりがきかない。警察がやってくれるわけでもない。だから僕らはその本分に従って徹底的にやっているだけなんです」

報道が果たす役割のことを、英語で「ウォッチ・ドッグ」、つまり番犬という。素直で誰にでもなつくかわいい犬はみんなに好かれるが、市民の生活を防衛する役には立たない。あやしいのではないかと疑ってかぎ回り、いざとなればほえ、かみつく犬は愛されないが、市民を忠実に守る良い番犬だ。うとましく思われるのも仕事のうちか。

「でも紙面を見れば分かりますが、むしろ政府のやっていることをただ右から左に書いているような記事が多くを占めている。全体としたらそういう中で、でも私たちの本分はいろいろなものを検証していく姿勢、それが我々の根っこなんです」

5　記者とスパイはどこが違うか

「知りたい」ではなく「知らせねばならない」

東京医大の女性差別入試、三菱電機のサイバー攻撃被害、富山市議会の政務活動費着服、秋田市の地上イージス配備に関する防衛省の事実に反するデータ。いずれも記者の自発的な調査と報道があったために明るみに出た。もし記者が取材して真実を調べなければ、私たちは今もこれらの事実を知らずに暮らしていた可能性が高い。どれも当事者が自分から公表するはずがなく、政府や警察も調べようとはしていなかった。ＳＮＳに投稿されることも、少なくともそれぞれの報道まではなかった。

みんなにとって大切な事実、市民が社会の「運営側」として考え行動する上で大切な事実を公表すること。それが記者の仕事であり報道の仕事となる。本人が広めてほしいことを宣伝するのとは違う。面白いというだけで拡散することもない。そして何より、伝えることは裏付けが取れた事実でなければならない。

私自身も記者として三〇年間働いた。記者の仕事、報道の仕事とは何か、考え悩んだ。それもあって二〇〇六年から〇七年にかけ、報道の在り方について視野を広げようと約一年間休職し、イギリスのオックスフォード大学ロイター・ジャーナリズム研究所で現地の報道を研究する機会を得た。イギリスのメディア報道に浸りながら、同国はじめ各地の記者、取材を受ける側の人たち、ジャーナリズム研究者たちにインタビューをしていたそんなある日、ベテラン記者コリン・ビクラーに質問を投げかけられた。ビクラーはロイター通信などの国際記者を長く務め、その後シティ大学ロンドン（現・ロンドン大学シティ校）のフェローとなっていた。質問はこうだ。

「記者とスパイはどこが違うか？」

記者とスパイなんて、全然違うじゃないか——とも思ったが、だが確かに記者もスパイのように情報を探り、秘密情報や内部資料を入手する。現地イギリスで高い信頼を得ている公共放送BBCの調査報道番組「パノラマ」は、不正が疑われる組織や施設に記者が身元を隠して入り込み、証拠となる動画や音声を隠し撮りして真相を市民に伝えることもある。潜入取材と呼ばれ、全くスパイさながらだ。

そういえばビクラーと話す少し前、BBC「パノラマ」はイギリス陸軍特殊部隊の元隊員を臨時記者として採用し、身元を隠して刑務所職員として就職させて刑務所に潜り込ませ、ひそかに内部を探った調査報道番組を放映していた。隠し撮り映像を含む取材結果から番組が明らかにしたのは、腐敗が進行する刑務所内の実像だった。職員は受刑者に脅迫され、刑務所側は有効な手を打てない。一方で受刑者は職員に賄賂を持ちかけ、大麻や携帯電話を不正に持ち込ませようと工作する。応じる職員が複数いる——。こんな特別な潜入取材も、普段の人間関係に基づく情報源作りも、記者はスパイと似ている気が確かにしてくる。

ビクラーの問いにどう答えればいいのか。私は戸惑った。

「記者とスパイの違い……何でしょう、記者はみんな（パブリック）のために働くが、スパイはそうではない？」

「違うね。スパイだって、パブリック・サービスだ」

市民のため、と言うには少し抵抗も感じるが、スパイとは結局、政府の機関員だから、公務つまりパブリック・サービスであることは否定しがたい。それに、国による情報収集と情報分析がきちんと行われていれば避けられた戦争や武力攻撃だってあるのだろう。

答えに詰まり、困っている私を見て、ビクラーはにやりと笑い、言った。

「記者は情報を公表（ディスクローズ）する。それが違いだよ」

うーん。その通りだ。記者は報道するためにこそ取材する。若者が記者を志望する理由として「好奇心がある」「いろいろなことを知りたい」では不十分だ。「知りたい」ではなく「知らせねばならない」のが記者だ。一方で、スパイは、得た情報を政府に報告する。政府は極秘情報をいちいち公表しない。情報当局者から見れば、市民がそんなことを知る必要もないと言いそうだ。

東京医大、三菱電機、富山市議会、秋田の地上イージスのどれも、もし政府の秘密調査官が不祥事として把握したら、秘密裡に是正させただけだったかもしれない。そして関わった人を静かに処分し、秩序は維持される。平穏や秩序を優先し、市民には公開せず、エリートに任せるエリート主義の進め方だ。

報道はそうではない。記事や番組を公開するから、議論が起きる。騒ぎにもなるし、混乱も起き得る。だが市民一人一人が社会と政治の方向について「運営側」として考え、意見を出して決めていく機会が生まれ、公開の場で政府の是正策が作られる。すなわち民主主義そのものだ。記者はそのためにいる。ビクラーが言う「記者とスパイの違いは、公表するかどうか」という定義は、結局、記者が何に奉仕するかということにつながっている。

第二章
それは「事実」か「真実」か？

1　二種類のスクープ

いち早く伝える

ニュースの中でひときわ目立つのが「スクープ」だ。すっぱ抜く。知られていなかったことを突然一つの報道メディアだけが独自報道する。第一章で紹介した報道はいずれも大スクープだ。他方、重大なニュース――例えば国政選挙の結果や株価の大変動、戦争勃発など――であっても、何かの公表に基づいて各メディアが一斉に報道する場合はスクープとは言わない。スクープであるには抜きん出ることが肝心である。

この記事はスクープだということを「独占スクープ」と書いて誇示するのは、かつては雑誌などに限られていたが、近年は新聞系ウェブサイトやテレビも「独自」などと表示するケースが増えてきた。インターネットを通じたニュース競争が激化し、差をつけて注目を集める効果がある。

スクープは報道記者なら誰もが狙う。第一章で北日本新聞の片桐が言ったように、競争し切磋琢磨することは、メディアがより良いものを市民に届ける力になる。一方、ライバルのメディアにスクープを書かれる（「抜かれる」）こととなった記者は形無しである。ライバルの報道だからといって、無視はできない。自分のメディアの読者や視聴者にもそのニュースは伝えなければならないから、後追い取材をする。そのニュースの関係先に駆けつけ、「今朝の朝日新聞が書いていたあの件ですが……」「先ほど、ＮＨＫがやっていた話ですが……」と、さえない顔で確認することになる。

そのスクープには二種類ある。その両方を、報道界で最も注目される賞の一つ「新聞協会賞」の二〇二〇年候補作となったＮＨＫの二つのスクープに見ることができる。一つはこれだ。

安倍首相　東京五輪・パラ　1年程度の延期提案へ　IOC会長に

東京オリンピック・パラリンピックをめぐり、安倍総理大臣は、ＩＯＣ＝国際オリンピック委員会のバッハ会長との電話会談で、選手の準備期間などを考慮して、1年程度の延期を提案する方針を固めました。……

二〇二〇年に予定されていた東京オリンピック・パラリンピックを、新型コロナウイルス感染症流行の影響により一年延期するという安倍晋三首相の方針決定のスクープだ。開催を四か月後に控えた二〇二〇年三月二四日夜に報じている。この時期、コロナ流行は深刻さを増し、まだワクチンや決定的治療法もなく、世界中で多数の死者を出していた。予定通りの二〇二〇年夏開催か、延期か、中止か。注目が集まる中で、NHKは「一年延期」を安倍が決断したことをいち早く報じたのだ。

この夜、安倍は国際オリンピック委員会（IOC）のバッハ会長と電話会談していた。その中で「一年延期」を提案すると、このニュースは伝えた。日本の首相がIOC会長に言うなら、それでもう決まりだ。会談後には公式発表されるだろう。それを事前にすっぱ抜き、視聴者にすぐ知らせたわけだ。最新の動きを独自の秘密情報源から探り出して伝えた報道であると同時に、公表、発表予定の内容を前もって報じるという性格を持つことから「前打ち」とも呼ばれるタイプのスクープだ。

掘り起こして暴露する

一方、二種類のスクープのもう片方といえるのは次だ。

シベリア抑留者　5年前収集の遺骨は〝日本人でない〟　厚労省は公表せず

戦没者の遺骨を取り違えていた疑いが、明らかになりました。終戦直後にシベリアに抑留されて亡くなった日本人のものとして厚生労働省の派遣団が5年前に収集し、日本に帰還させた遺骨について、DNA鑑定をした専門家が「判別できた遺骨はすべて日本人ではない」とする鑑定結果を示していたことが、ＮＨＫの取材で分かりました。

鑑定した専門家は、厚生労働省の非公開の会議などで「間違って収集した遺骨はロシア側に返すべきだ」などと指摘していましたが、厚生労働省は、こうした鑑定結果を現在まで公表していません。……


シベリア抑留とは、第二次大戦に日本が負けたとき主に満州（中国東北部）にいた日本軍人や軍関係者らがソ連軍に連行され、シベリアなどに収容された問題だ。五〇万人以上の規模にのぼり、鉱山や森林などでの重労働をさせられ、食料不足や酷寒の中で五万人以上が死亡したとみられている。現地には亡くなった日本人抑留者の遺骨が今も眠っているため、日本政府は遺骨を探し集めて日本に持ち帰る事業に取り組んできた。ところが、日本人の遺骨だとして持ち帰ってきたものは、ＤＮＡ鑑定により日本人のものではなかったことが明らかになり、厚生労働省の会議でも問題になっていた。これを日本政府は市民には隠していたのだ。このスクープは、国が隠し続けてきた真実を独自に探り出し、市民に対し明らかにするものとなった。

この日のＮＨＫの報道は、シベリアだけではなく、別の場所でも遺骨が日本人のものではなかった問題があるとして、次のように付け加えた。

戦没者の遺骨収集事業をめぐっては、日本兵のものとしてフィリピンで収集された遺骨の一部についても、7年前、2人の専門家が「日本人とみられる遺骨は1つもなかった」とするDNA鑑定の結果をまとめていましたが、厚生労働省は、去年8月にNHKがこの問題を報じるまで公表していませんでした。

日本兵のものとして収集した戦時中の遺骨が、実は日本人のものではなかったという問題は、南方フィリピンでも起きていたのだ。こちらもまた、NHKが報じるまで日本政府は隠していたのだという。度重なる隠蔽、それを報道で明らかにされてようやく認める政府。もし記者たちが取材せず、報じていなかったら、どうなっていただろうか。

「二種類のスクープ」のうち、こちらは、報道されなければ決して知られることのなかった事実を報道したところに意義があるといえる。

いずれは発表される情報をいち早く報じ、市民の元に届けるスクープと、放っておけば決して知られることのない隠れた事実、それも政府の不正や不手際に関することを記者の独自調査で報じ、市民に明らかにするスクープ。どちらがより重大な仕事かは明らかだ。

指導者の死を隠せる国、隠せない国

いずれは発表される「前打ち」スクープも、しかし、価値はある。「近くこのような重大事が発表されるそうだ」と聞いて興味を抱かない人は珍しい。社会に影響を与えるものならなおさら、それは確かにニュースだ。そして政府の方針が事前に報じられれば問題点が指摘されたり批判が起きたりもし、改善や方針修正につながることも起こり得る。

それを「発表されるものは、発表を待って報じればいい」と決めてかかると、政府から見れば「発表しない限り報道されない。そしていつ発表するかは政府が決める」と解釈されるだろう。メディアにすっぱ抜かれる心配がないなら、速やかに発表する動機は損なわれる。「正確を期する」「混乱を防ぐ」などの名目で、政府の都合良いタイミングまで発表しないでおくことが正当化される。

それが極端な形で現れるのが、独裁国家における指導者の死だ。二〇一一年一二月一九日、北朝鮮国営メディアの朝鮮中央通信は、同国指導者の金正日が死去したことを報じた。それによると、金正日が死去したのは報道の二日前、一二月一七日の午前八時半だという。国の最高指導者が死亡したのに、丸二日以上も市民に対して隠されていたのだ。

旧ソビエト連邦（一九九一年崩壊、現在のロシアなどに分裂）では共産党の一党独裁と反対派弾圧が貫かれ、戦後、指導者として権力の座についたまま死去したスターリン、ブレジネフ、アンドロポフ、チェルネンコの四人とも翌日まで死が公表されなかった。後継者選びを平穏に行い、混乱を防ぐためだからと、情報隠しは正当化されるかもしれない。北朝鮮や旧ソ連のような独裁国家で、市民は「運営側」ではなく「お客さん」だ。なるほどソ連は社会主義をうたい社会保障は国力の割に充実し、「お客さん」としてのサービスは悪くなかったかもしれないが、市民が「運営側」のつもりで事実を知り、自由に議論しようとすれば厳しい処罰を受けることもあった。指導者は、その死どころか健康状態自体が機密。十分に仕事ができる状態かどうかが市民の監視にさらされることはない。「お客さん」にそんな必要はないというのだろう。アンドロポフの場合、腎臓疾患を抱え、政権末期には健康状態が悪化していたが、詳細な事実が明かされたのは死後のことだ。

日本の場合、そうはいかない。二〇二二年七月八日、元首相の安倍晋三が奈良県で演説中に銃で撃たれたとき、その瞬間から刻一刻と大量の情報が市民へと報告された。銃撃の速報が流れ、安倍の状況も次々に報じられ、首や胸に傷があり、容態は「心肺停止」、つまり心臓が止まっている状態であることが明らかにされた。搬送先の奈良県立医大病院の様子、安倍の妻の昭恵が病院に駆けつけたことも伝えられた。安倍が銃撃現場で倒れている写真も、病院の様子を示す写真も報道された。現場で取り押さえられ現行犯逮捕されたのは山上徹也という元自衛官であること、政治信条とは違う動機だと言っていることも明らかにされた。

手当ての甲斐なく安倍が死亡した事実は、政府の正式発表を待つことなく、例えば共同通信の場合は自民党関係者からの非公式な情報として記者がこの事実を把握し、報道した。「事実かどうか」と「政府が公式に発表したかどうか」は完全に別の問題である。民主主義の国では市民は情報の自由を持つ。だから報道は政府の許可制であってはならない。無許可で行って初めて、自由な報道なのだ。

まだ安倍が首相在任中だった二〇二〇年八月には、慶応大学病院に七時間半にわたって滞在し、検査を受けた事実が報道メディアの知るところとなり、リアルタイムで報じられ、直ちに議論の対象になってもいる。

個人の医療や健康についての非公表情報までも記者がつかみ、先を争って報道する――いかにも無秩序で、プライバシーへの配慮や人間の尊厳への敬意を欠くようにも見える。プライバシーはメディアが当然、自主的に尊重しなければならない。だが、公人中の公人である首相の健康状態は政治、社会に重大な影響があり、プライバシーの正反対である公共公開（パブリック）情報でなければならない。独裁国家では最高指導者の死という情報さえ政府の許可制だが、民主主義社会では、見苦しくても記者は情報を得ようと各所で食い下がることができる。それぞれ自主的な判断で取材し、いち早く市民に向け報道することができる。多様な事実を市民は知り、議論する材料を受け取る。

確かに礼儀や敬意は大切だ。礼節を欠く取材や報道が問題となることも、日本では多い。イギリスの高級紙ガーディアンも二〇一五年七月、社説で日本のメディアの礼節を問題にした。だがそれは、日本国内でいわれるものとは別の意味だった。

> 日本の主要メディアは腐敗していない。しかし礼儀を尊重する。メディアを取り巻く文化のようにだ。（イギリスなど）アングロサクソンのジャーナリズムの伝統では、どう見ても、誰に対しても礼儀などない。イギリスの新聞には、プライバシーなどもう少し尊重した方がいいこともある。だが礼儀正しさは、権力に対し詮索するのをやめ従順になることにもつながりかねない。そうして、許されざる行為が横行してしまう。……

つまり、日本メディアはお行儀が良すぎ、それによって権力に突っ込めなくなっては危険だと警告している。報道倫理は日本では「取材相手の気持ちを思いやり、傷つけない」ことのように理解されることがある。取材、報道に際し、相手への配慮は大変重要ではあるが、その人の意に沿うよう情報を発信するとまでなればそれは広報、広告の役割だ。報道の場合、尽くすべき相手は取材対象以上に市民だ。市民に真実を知らせるためには取材相手への礼儀を欠くことも場合によりやむを得ないと、このガーディアンの社説は説いている。

だから発表予定を気にせずにすっぱ抜く前打ちスクープもまた、情報の自由を支える真面目な報道であることは否定すべきではない。否定すべきではないのだが、ただ、今ジャーナリズム界で議論されていることは、スクープの中で前打ちスクープがどうも多すぎる、これらパターン化した報道に心を奪われすぎ、型にはまらない独自取材、調査報道のたぐいが後回しになっていないかという問題意識だ。

特に、発表の前打ちをしようとすると、発表する機関内部の情報源作りが気にかかる。情報を絶たれたくないあまりに記者は当局内部者に嫌われたくないという思いが頭をよぎり「守りの姿勢」になりかねない。こうなると権力の監視者としては腰が引けてしまう。

発表されるはずがない独自調査の場合、逆に「攻めの取材」だ。私の経験では、独自の調査取材がうまく行っているとき、担当官庁の幹部に情報をぶつけ、反応を取材しようとすると、当局者が真顔になってメモを取り始め「そんなことがあるのですか。もっと教えてください」と言われることもあり、記者が当局者に「教えてもらう」という関係とはまるで違うものになる。

二〇二〇年の新聞協会賞候補に並び立ったＮＨＫの二つの報道は、「二種類のスクープ」というこんな背景をも考えさせるものとなった。この年、新聞協会賞にはＮＨＫの「遺骨は〝日本人でない〟」という報道が、ほかのいくつかの新聞社のスクープとともに選ばれた。

2　ニュースは「定食」で

定点観測していないと「変なこと」に気付けない

スクープは華々しい。新聞もテレビも、スクープをはじめ驚きや興味を沸かせるものばかり報道すれば、もっと濃くて刺激的なメディアになりそうだ。実際、ＳＮＳでは感情をかき立てる情報が次々に流れてきそうで、目が離せない。

報道メディアの場合、少し真面目くさってしまう。「このニュースは面白いだけでなく、社会にとって大切か」ということも重視するためだ。もう一つ重視しているものがジャンルだ。新聞記事の場合、どんな日も必ず政治、経済、国際、文化、スポーツ、社会……というジャンル別にページを作ってある。たくさんの分野のニュースを盛り合わせて作る、ニュースの「定食」だ。この定食スタイルは新聞やテレビなど、一般の報道メディアが強く意識する（他方、スポーツなど分野を絞った専門メディアもある）。

となると、記者たちは定食を作れるよう、政治、経済、国際、文化、スポーツ、社会……という各分野を常に取材し、ニュースの材料を仕込んでいなければならない。定食メディアの場合、「今日は政治ニュースは品切れです」というわけにはいかない。読者、視聴者の「情報の栄養バランス」を崩してしまう。

この「定食」は報道各社によって中身が少しずつ違う。だが、重要ニュース、確実に押さえておいてほしいニュースほど、どのメディアも「定食」の中に取り入れる。国会での重要な論争、景気がどうなっているか、人命に関わる災害や事件、広く生活に影響する制度変更などだ。どのメディアの定食型ニュースにも盛り込まれ、「市民誰もが共有している基礎情報」となると、どの市民もお互い話題にでき、議論もできる。例えばもし入試制度の大変更が計画されたとして、受験生とその親だけが深刻に関心を持ち、他の人はそんな話を聞いたこともない――ということになるのか、誰もがある程度は受験生の身になって議論に参加してくれるのかは、この「定食」機能で共有されるかどうかに左右されるはずだ。共有されなかったら、大事な問題であっても話し合えない。つまり、社会の「運営側」の市民が幅広く参加して議論することができない。

だから定食型ニュースメニューは、市民個人にとっては広い視界をもたらすし、社会から見れば「たいていの市民が、今の社会の重大情報は身につけている」ということになる。どちらも、民主主義の基盤として欠かせないものだ。

そんな定食型ニュースメニューを提供するため、多くの報道メディアは記者を分野別に分け、細かく持ち場を分担して配置する。政治を担当し、政治家や行政官庁に張り付く記者もいれば、犯罪や事故の取材を担当し、警察や検察、裁判所や弁護士事務所に日夜出入りして情報を探し回る記者、市役所や市議会を持ち場とする記者、官庁、地元企業、労働組合、学校などを日々取材する記者もいる。重要ニュースが出やすい官庁や大きな企業・団体に厚く配置される。また記者の問題意識の向くところ、市民団体や社会運動団体、外国人や性的少数者、貧困や差別、市井の人々の動きを追う記者たちも大勢いて、困っている人たち、弱者の立場に置かれた人たちの声なき声を伝え、知られざる社会問題を明るみに出そうと奮闘する。

問題は、毎日持ち場をウォッチしていても、ニュースはそうそう発生しないことだ。関係者のところに顔を出し、言葉を交わして回り、時には邪魔に思われ、それで終わることも多い。大ニュースなどめったにない。記者の仕事のかなりの部分は地味な小ニュースをコツコツと書いていくこと、そして持ち場を注意深く観察して、水面下で何が起きているかを敏感に探ることだ。

裁判所を受け持っている記者でいえば、弁護士や関係者が「無罪」「不当判決」と書いた紙を持って駆けてくる場面は特別な日の特別な出来事だ。ドラマチックな証人尋問もめったにない。市議会や県議会でも、ニュースになるような出来事は多くはない。だが、毎日見張る。いつ何があるか分からないからだ。効率が悪い。それでも報道の「定食」を提供するためには、各所を定点観測するよりほかに方法がない。普段から見ていて、普通がどんな状態か知っているから、逆に「何かおかしい」ときにその違いが感じ取れる。

「何か変なことがあったらニュースになるだろう」と、多くの人が思えるのは、「変なこと」がいつ起こっても気付いて速報できるよう、報道メディアがあちこちにプロの記者を配置する、見張りの仕組みがあるからだ。

今、この仕組みが危機に直面している。

アメリカの地方都市が「ニュースの砂漠」に

「教育委員会、市議会、郡の機関を見張る人たちはいなくなった。高校スポーツチームの活躍を記録する人は消えた。悲しいというだけでは済まない問題だ」

二〇一八年九月、アメリカ南部アーカンソー州アーカデルフィアで地元紙シフティングス・ヘラルドが廃刊することになったとき、同紙の元編集者レックス・ネルソンはこう嘆いた。シフティングス・ヘラルドは一二七年の歴史を誇る伝統紙だ。だが廃刊直前、同紙の拠点であるクラーク郡には九〇〇〇世帯以上が暮らしていたのに、同紙購読数は九〇〇にまで落ち込んでいた。

アメリカの新聞が最高潮にあったのは二〇世紀前半で、小さな週刊新聞まで合わせると全米に二万四〇〇〇紙もの新聞が発行され、小さな地域でも複数の新聞が存在していた――と、報告書「ニュースの砂漠とゴースト新聞　ローカルニュースは生き残るか」は指摘する。まとめたのはアメリカのノースカロライナ州立大学チャペルヒル校教授でジャーナリズムを研究するペニー・アバナシーだ。

それによると、戦後、テレビに押されたとはいえ二〇〇四年には約九〇〇〇紙が発行されていた。それからの一六年で一挙に四分の一が廃刊し、二〇二〇年段階では約六七〇〇紙に減少した。それでも、日本よりずっと多い。日本の日刊新聞は、国立国会図書館の東京本館新聞資料室が受け入れている一般紙が、全国紙と地方紙あわせて一三〇あまりだ。これは日刊紙（原則毎日発行）だけで、週に数日発行や週刊のローカル新聞も一定程度あると思われる。

アメリカの約六七〇〇紙のうち四分の三は発行部数一万五〇〇〇部未満の小規模な新聞だ。また、週に四日以上発行するのは一三〇〇紙弱、残る五四〇〇紙以上は週刊などの新聞だ。アメリカには日本のような全国紙という概念は乏しい。大きな社屋と多数の記者を抱える大都会の新聞社も存在感は大きいが、小さな編集室で作られる地元コミュニティの新聞がアメリカ市民の情報を支え、アメリカ民主主義と自治の肥やしになっている。どんな場所でも地元の話題、議会や行政、経済、犯罪などの情報を集めて伝える、毛細血管のような仕組みだ。

これら地元の新聞が地方都市で果たす役割は、テレビ、ラジオ、オンラインメディアに比べて特に大きいと指摘する別の研究もある。アメリカ・デューク大学のジャーナリズム研究者フイリップ・ナポリたちの調査だ。ローカル情報では質量ともに新聞にまさるものはないのだという。人口二万〜三〇万規模の一〇〇地域で、地元新聞、テレビ、ラジオ、オンラインメディアの報道内容を比較した。ポイントは①ほかからの転載ではない独自取材の情報か、②遠くの大都会や首都での話でなく、地元の情報か、③面白ネタやエンタメ情報ではない、重要な情報か。

さまざまなメディアのニュースから、この三つをすべて満たすものを見ると、その六割が新聞により供給されていた。メディアの数でいうと新聞は四分の一しかないのに、だ。だがそれを支えてきた地元の新聞が二〇〇〇年代以後、大量に消滅していることになる。地域に一つしかなかった新聞が廃刊したケースもあり、その地域は「新聞のないエリア」となる。

そんなエリアで何が起きるか。ミシガン大学のエイミー・メスタスは、近年の研究により「地元で争点となっている問題を都市の新聞が取り上げることをやめた場合、その地の選挙の投票率は低下することが分かっている」と指摘している。このほか、政治家が選挙運動に金をかけずに済ませるようになり、せっかくの政治情報を広めたり討論したりする場が失われてしまう、新人候補者が立候補しなくなり選挙戦自体が低迷する、などの悪影響が懸念されている（新聞のないエリアで何が起きたかについては鈴木伸元『新聞消滅大国アメリカ』（幻冬舎新書）も二〇〇九年ごろの状況について報告している）。逆に言えば、地元の社会や政治、そして人々の話題を提供する地元新聞が、市民の自治と民主主義、つまり「運営側」としての責務を支えているということになる。

地方紙で報じられた女性に起きたこと

アメリカ・バーモント州ダマーストンに住む日本出身の女性、上田孝子が目の当たりにしたのも、そんな新聞の役割だった。上田はフランシス・ハーバートと女性同士の同性婚をして暮らしていた。あるとき、地元紙ブラトルボロ・リフォーマーが上田とハーバートのことを取り上げた。この二人が法的なピンチに立たされていたからだ。

バーモント州の州法では上田とハーバートのような同性婚が法律上の結婚として正式に認められている。ところがアメリカの法律は州法とは別に、アメリカ全体に関わる事柄を決める連邦法もある「二本立て」の法体系で、連邦法ではこの当時の二〇一一年、「同性婚は正式な結婚と認めない」と、食い違っていた。問題なのは、外国人の在留許可はこの連邦法に基づくという仕組みだった。アメリカ人と結婚している外国人は配偶者として在留資格が得られる。だが連邦法では、同性婚は結婚とみなされないという。よって配偶者とみなされないから、在留資格も出さない――そういうことになる。

在留資格を得られなければ、上田は不法滞在とみなされ、強制退去となる恐れもある。男女の結婚なら認められる在留資格が、同性婚では認められない。不条理な差別をやめさせようと人権団体とともに闘い、弁護士、議員、政府などにあらゆる働きかけを行ったが状況は動かない。人権団体は二人に、CNNテレビの取材班を紹介し、取材を受けることを勧めた。CNNが放送するとほかのメディアも注目するようになり、少しずつ報道が広がる。その一つが、地元紙ブラトルボロ・リフォーマーだった。

市民の権利求めるカップル、闘いの中で離別の危機
ジョシュ・スティルツ記者　二〇一一年九月一三日
【ダマーストン発】女性同性愛者のカップルが、一緒に暮らし続けるため闘っている。配偶者としての在留資格を申請する一方、強制送還の恐れが結婚生活に不安の影を落としている。
フランシス・ハーバートと上田孝子はともに五〇代。バーモント州では法的に認められた結婚だが、連邦としては配偶者と認めず、就労ビザか学生ビザがなければ上田は日本に送還されるという瀬戸際に立たされている。……

英語圏のニュース記事は記者名、発信日、発信地が冒頭に明記される。二人の出会い、家族

を置いて日本を離れた上田の決断、同性婚、得られない在留資格、そして二人の闘いと人権団体の訴えを詳しく掲載している。この新聞ブラトルボロ・リフォーマーは発行部数約一万部。アメリカのローカル新聞の一つだ。

報道後のある日、上田が近くの街の店を訪れると、女性客が近づいてきた。

「あなた、どこかで見たことあるかも……」

そして、強制送還の危機の中、闘っている同性婚カップルの上田孝子だと思い出して、言葉を交わし、ハグ（抱擁）をしてきたのだ。

「私たちの権利のために闘ってくれてありがとう」

この女性が上田たちの闘いで何か直接の権利を得たり、利益を得たりという意味ではない。そうではなく、ただ一人の市民として、「私たち市民の自由と権利のため、立ち上がり、闘ってくれてありがとう」という感謝だった。そういうハグなのである。反響はほかにもあった。リンゴ売りのおじさんがリンゴをくれた。路上で応援の言葉をかけられた。自治体の最高議決機関、住民全員で構成する町民大会が「上田孝子とフランシス・ハーバートを守れ」という決議をした。

不条理をなくそうと市民が声を上げ、立ち上がる。それをメディアで知った市民が応援の言葉をかける。支えようと行動する。そんなさざ波のような広がりだ。日本でもこうなるのか、どうなのだろう。私は上田に尋ねてみることにした。上田とハーバートの闘いを取材し報道したことがあり、それ以来交流が続いている。人前に出て声を上げるのも、メディアに顔と名前を出して登場するのも、日本ではためらわれるような気がするし、周囲の人たちも押しとどめるような気もするのだが……。

「やっぱり叩かれたり、『恥』とかいろいろ出てくるでしょう。『恥』の問題が大きいと思う。日本だと恥の文化が大きいから、それで自分をコントロールしてしまう。そういうマイナスの面が大きいと思うんです」

恥とともに「迷惑」になることを恐れる文化もありそうだ。

「そうそう『迷惑』ね。アメリカでは(そういう発想は)あまりない。私も日本人でしょう、やっぱり人との関わりで『迷惑』かけたくないな、というのはすごくあるんです。人に余計な負担をかけたくないとか。それがあって(意見があっても)黙ったりするわけです」

上田はそんな日本式の、迷惑を恐れて黙ってしまう判断を「相手との関係において引き下がる、いい子でいる」ことだとみる。そしてそれを乗り越えた経験があった。上田たちが住むのは山あいの地域だが、近所のおじさんがある日、鳥のえさ台を一二台も設置した。食べ物が熊を引き寄せてしまうので禁止されている行為だ。

「近所の人たちはやめてほしいと言ったんだけど、聞いてくれなかった。でも熊が出てくれば結局その熊が殺される。私、それは絶対いやなんです。人間の楽しみのために動物が殺される。だから、私が直接言ったのです。相手は私のことを嫌うかもしれないけど、譲れないと思って。熊が出てきて殺されてしまえば、私はなぜスピークアップ（声を上げること）しなかったのかと悔いが残る。自分の心の判断でやりたい。それで言ったんです。そういう問題を載せた新聞記事も見せたら、全部取り去ってやめてくれました」

日本だったら、おじさんに直接言わずに役所に言い、対応を求める場合も多そうだ。その違いは何なのだろう。

「日本はお偉いさんたち、役所がコントロールしているわけでしょう。教育も『自分の意見をしっかり言って行動しましょう』でなくて、受験戦争で知識を詰めて、自分の考えなんか別に必要ない、偉い人たちに言えば何とかしてくれるという考えだから――これは私の意見ですけれど。日本は自分自身の考えを持って行動しなくてもうまく行くようになっている。意見を言うと叩かれるし『何様だと思っている』と思われるとか、人に笑われるとか。日本は無難に生きている方が良いんです」

上田がアメリカで経験した、市民が自分の意見を持ち、行動することを求められる社会とは、つまり市民が自治の担い手として「運営」に取り組んでいる社会とも言えそうだ。となると必要な情報を提供する報道メディアの役割もひときわ大きい。なるほど、上田のことを報道で知った市民たちが、自分なりの意思を示し、ハグするわけだ。日本の市民はまだ「運営」にも遠慮がちなところがあるのかもしれない。

自治と参加の民主主義の危機

アメリカ社会が理想ということは全くない。残酷で、深刻な病理もある。激しい貧富格差、強い「自己責任」感覚による税嫌悪と社会保障軽視、乱射の悲劇が繰り返されても進まない銃規制――。メディアはメディアで、ドナルド・トランプが「メキシコ人は強姦魔」など常識を超えた発言をする人物でありながら視聴率ほしさからテレビに登場させ、支持層を作ったと指摘されている。矛盾が多い国だ。それでも、暮らしの足元には誰もが意見を言い、意見を求める自治と参加の民主主義がなお生きているのは価値ある面だろう。

日本ではアメリカのように新聞が大量に廃刊する事態が問題化してはいないが、新聞購読者は二〇一〇年代から大きく減り続けている。新聞社の収入が落ち込めば、経費削減が重要な課題になる。減らしている費用の一つは人件費だ。日本新聞協会の統計によると、新聞協会加盟社の記者は二〇一〇年から二〇年にかけ、二万四〇六人から一万七六八五人に、一三％減少した。

記者がどんどん減る。見張りの密度も下がり、ニュースの「定食」の材料が切れ、隠れた重大事はスクープされない。日本でも「新聞がない地域」が生まれれば、地元の選挙にも行政にも教育にも、市民が関心を持たなくなる恐れが現実にある。悪事を見とがめる人はいなくなる。

だが、大きな新聞があれば必ず真実が市民に届くというものでもない。日本メディアの暗い歴史がそれを示す。そしてそれは、事実を報じることと真実を知らせることの間に何があるかも浮かび上がらせる。

3 「事実」と「真実」は違う

ミッドウェーの壊滅的敗北を隠した大本営発表

日本がアメリカやイギリスと戦争を始めて半年後、一九四二年六月一一日の朝日新聞は、一面トップに大見出しを掲げた。

東太平洋の敵根拠地を強襲　ミッドウエー沖に大海戦　アリユーシャン列島猛攻
米空母二隻（エンタープライズ、ホーネット）撃沈　わが二空母、一巡艦に損害

太平洋戦争が始まって半年後、ミッドウェー海戦が戦われた。記事は、軍部の発表をそのま

ま、加工せず報じた。その記事内容をまとめるとこうなる。

アメリカ軍の損害……空母二隻を撃沈、航空機一二〇機を撃墜

日本軍の損害………空母一隻を喪失、一隻が大破。巡洋艦一隻が大破。航空機三五機が未帰還

日米双方の被害はほぼ互角に見える。軍の報道官が、このミッドウェー海戦は日米相討ち、互角に終わったと説明したことを伝える記事も一緒に載せ、その見出しは「〝刺違へ戦法〟成功」だ。刺し違えるとは、互いに相手を刺して双方とも死ぬという意味で、それを「戦法」として「成功」させたというのだから、相手にある程度やられたのは想定内、それも計算の上で敵に大打撃を与えた、わざとそうした作戦だったと言っているわけだ。

真相は違った。ミッドウェーで日本軍は壊滅的に惨敗していた。

日本海軍が出撃させた空母四隻はすべて沈没、巡洋艦も一隻が沈没、そして航空機約三〇〇機と多数の熟練パイロットを失ったというのが、史実だ。

アメリカ軍は出撃した空母三隻のうち一隻沈没、航空機約一五〇機の喪失だった。

当時の新聞がしたことは日本軍の惨敗という事実の報道ではなく、軍の発表をそのまま伝えることだった。当時の新聞は軍や政府の厳しい監督下に置かれ、検閲が行われていた。権力に一致協力することが強いられる社会だったとはいえ、現実からかけ離れた報道だ。

ここで、日本軍がミッドウェー海戦について発表を行ったタイミングに注目する必要がある。この海戦は六月五〜七日に行われ、日本の空母全四隻は五日のうちに沈んでいる。軍の「互角」発表は六月一〇日午後だった。惨敗から発表まで五日間も沈黙が続いた。その間に、軍は情報をどう公表するか内部協議を続けていた。文筆家で近現代史研究者の辻田真佐憲によると、日本軍の被害を知らせることは「国民の士気が衰える」ことになるため、沈没した空母の数をどう小さく発表するかが議論になったのだという（辻田真佐憲『大本営発表　改竄・隠蔽・捏造の太平洋戦争』幻冬舎新書）。虚偽発表の内容を軍当局が作り上げるためには時間が必要だったということになる。

記者が自由に情報をすっぱ抜き、発表と関係なく書いてしまうような環境であれば、こんな工作はできない。記者が自由に活動できない旧ソ連や北朝鮮で指導者の死が隠されたように、当時の日本軍はミッドウェーでの壊滅的敗北という重大事実を何日も隠し通した。その間に虚偽のストーリーを練り上げ、数日後に発表したのである。このミッドウェー海戦は、太平洋戦争の開戦当初は連勝していた日本が後退と敗北に追い込まれる転換点となった。

イギリスの歴史家ジョン・アクトンは「権力は腐敗する。絶対的権力は絶対に腐敗する」という有名な言葉を残したが、真実を隠しうそを広めるという日本軍のひどい腐敗と、事実を自由に調べて伝えるメディアの活動が抑圧され、また記者たちもそれに抵抗できていなかったことは、表裏一体の関係のように見える。

だが、事実を加工せず伝えれば、市民が真実を知ることになるとも限らない。

「六年ぶりのウナギ豊漁」は朗報か？

毎年七月下旬、土用の丑の日が近づくと、ウナギのニュースが出てくる。その年のウナギの値段や出荷量、業者の声などが話題になる。二〇二〇年のこの時期、新聞、テレビは「六年ぶりの豊漁」「豊漁で、大手スーパー各社は去年よりも一割から二割ほど安く」と伝えた。明るい話題ということになる。

ウナギの豊漁不漁は、ニホンウナギの稚魚シラスウナギがどれぐらい獲れ、養殖用の池に送られたかで判断する。この量が、二〇二〇年の漁期は一七・一トンだった。前年二〇一九年は三・七トン、その前年二〇一八年は八・九トンだったから、確かに久々の増加ということになる。この事実に間違いはない。

だがその四か月前、これは「見せかけの豊漁」だと警告する記事が共同通信から発せられていた。


……これを豊漁と呼ぶのは間違いだ。シラスウナギの採捕量は１９６０年ごろのピーク時には年間２５０トン近くあった。それ以後、急減したが、80年代でも30トンは捕れていた。低迷はその後も続き、５～20トンほどの間を変動しているのが、ここ10年ほどの傾向だ。最盛期の数十分の一程度という状況が長く続く中で、ちょっと上向いただけのことである。

実はニホンウナギは数が激減しており、絶滅さえも心配される。「見せかけの豊漁」記事は、長い目で見ればニホンウナギは深刻な不漁に変わりなく、ある年のちょっとの増加を「豊漁」と扱うのは間違っていると警告する。不漁という異常な状態に慣れて、判断基準がおかしくなる「基準変動症候群」という状態ではないかと心配し、この記事は最後に、次のように指摘する。

> ウナギ資源の状況は依然厳しい。「今年はウナギが豊漁で、安いウナギがたくさん食べられる」。事実をきちんと反映しない「豊漁」の知らせがこんな考えを助長するとしたら、症候群がウナギ資源にもたらす悪影響は甚大だ。

絶滅が心配されているニホンウナギなのに、今年のウナギは安くなるというだけではいかにもはしゃぎすぎ、のんきすぎる報道だというのである。

だがどうだろうか。「六年ぶりの豊漁」「豊漁で、大手スーパー各社は去年よりも一割から二割ほど安く」というデータ自体は間違っていない。

けれども、そこだけを明るく伝えると、ニホンウナギが危機に瀕しているという別の深刻な事実をかき消してしまいそうだ。

記事や放送内容の一つ一つは正確な事実でも、大きな視野で見ると疑問が浮かぶ。そんな例は決して少なくない。

よく言われるのは、犯罪が起きたとき、ニュースが捜査の進展など捜査側の視点ばかり、容疑者には不利な、悪人と印象づけるような材料ばかりになってしまうことだ。そのときどきの最新情報であり、一つ一つの事実に間違いはなかったのだとしても、読者や視聴者の頭の中では事件や容疑者に関する像がかなり偏ったものになってしまう。これには事情もあり、事件の初期段階は主に捜査の動きが多くなる。容疑者への取材は難しいし、容疑者の代弁をする弁護士たちは取材に非協力的であることも多く、弁護側の広報をするという発想もあまりなく、それを担う人手も少ない。となると情報自体のバランスがそもそも違う。何より、アメリカのように逮捕された人が公開の法廷で意見を述べる機会も日本には通常ない。

だが、わざと偏らせているのではないにしても、ニュースが事件全体像のバランスを失う影響はしばしば重大だ。容疑者だった人がその後無罪判決を受けるなどして、捜査の在り方とともに逮捕時の報道に疑問が投げかけられるという事態もなくならない。当時の報道に誤報があったかどうかという問題だけに切り縮めては本質を見誤る。事実かどうかに加え、視点を幅広く取るという責務を果たせたかどうかの問題である。

「見せかけの豊漁」の記事を書いたのは環境報道のベテラン、共同通信編集委員の井田徹治だ。井田は言う。「データを見れば、昔からすごく減っていて、少し増えただけというのが分かるんです」。なのに、豊漁と報道する記者たちは「それを見ていないのではないでしょうか」と、井田は首をかしげた。ニホンウナギの稚魚シラスウナギの採捕量について水産庁が言っていることをそのまま報じ、それ以上の取材をしていないというのだ。

「水産庁が出してきたデータだけを見ているのでは良くない。少しでも専門家に取材をすれば『一が一〇に増えただけで、昔は一〇〇あった。こんなのを豊漁と言ってはいけないよ』と多くの人は言ったはずです」と、井田は指摘する。

「役所の言うことは疑ってかからないと。自分で生のデータを見る、専門家の他の人や、在野のＮＧＯ（非政府組織）の話を聞いてみる。すると全然違った図が見えてくるわけですが、それを役所担当の記者がやらなくなっています」

幅広く取材すればいい仕事ができるのに、なぜだろう。

「忙しいというのもあると思います。それに、人と違ったことを書くと怖いし、役所の言う通りに書いていれば抗議も来ないし安心というのも大きいのではないでしょうか」

発表を受け、ひと味違う取材を加えて発表者の広報意図と違う記事を出したら、広報担当者に嫌味を言われたり、時に怒鳴られたりということもある。他社が役所の発表路線で書いている中、自分だけ違っていると、報道姿勢の違いにとどまらない事実関係の間違いまでやってしまっていないか、不安も募ることがある。だが、それを引き受けなければバランス良い、市民の判断に役立つ報道は実現できないということになる。

「正確」ではあったミッドウェー海戦の報道

実は戦時中の悪例、ミッドウェー海戦の報道さえもウナギの「豊漁」と同様に「狭い視野で見れば正確」ということはできる。記事は次のように始まっている。

> 大本営発表（十日午後三時三十分）東太平洋全海域に作戦中の帝国海軍部隊は（略）五日洋心の敵根拠地ミツドウエーに対し猛烈なる強襲を敢行すると共に、同方面に増援中の米国艦隊を捕捉猛攻を加へ敵海上及航空兵力並に重要軍事施設に甚大なる損害を与へたり、（略）現在迄に判明せる戦果左の如し（以下、アメリカは空母二隻の撃沈、日本は一隻喪

失一隻大破――などの内容が並ぶ）

記事の冒頭、「大本営発表」の五文字は枠で囲み目立たせてある。つまり「軍がこのように発表した」と明示している。軍がこの内容を発表したこと自体は間違いない。軍は事実に反する内容を発表しているが、それは軍の問題だ。メディアは「軍がこのように発表した」という事実だけを淡々と伝えたのだ――。そんな弁明も、形の上では成り立つ。だが、記事を読んだ読者は「日本軍は少なくとも互角の戦いをした」と考え、「壊滅的敗北を喫した」とは考えない。つまり読者はうそを信じるという結果を生む。

先にも引用した辻田真佐憲『大本営発表』によると、記者はこの「互角」発表をする海軍の報道担当官、平出英夫の様子が変だと感づき、その場で厳しく質問したが平出は「そういうことには関わりなく、私のいうとおり書きたまえ」と強く言ったのだという。

記者が、うそだと知りながらそのまま報じれば、うそつきの共犯者になってしまう。事実と信じこんで報じたのなら、メディアはだまされた被害者だが事実を見抜けなかった落ち度もまぬかれない。どうも変だが――と首をひねりながらも報じたならその中間か。そのどれにせよ結果的にはうそつきのお先棒を担いだことになる。

軍という重要機関が何を言ったかを伝えること自体は必要だ。だが、それに対して別の角度からの情報、時に対立したりする情報も、本当なら必要だったのだ。社会の「運営側」として市民が情報を検証し議論するためだ（戦時中の日本の市民は残念ながらそういう立場に置かれていなかったのだが）。ウナギのニュースでいえば、たとえハッピーニュースの中でも「実はニホンウナギは数十年という長い目で見れば全く捕れなくなっているといえる」と別角度の事実を伝えられれば、市民はグッと深い会話ができる。

軍の発表に対して別角度の事実ではなく「権力の言うことには疑いの目を持とう」「信じるべきでない」と論をぶち、抵抗するのはどうだろうか。「軍が正式発表をした」という一つの事実の前で、論評だけのエネルギーは事実を吹き飛ばさない。市民の「運営」のためには、事実がどうなっているかにまさるものはない。結局、ジャーナリズムは、より良く多様な視点を持ちつつ、事実を発見して伝えることに尽きる。

「事実」だけれど「真実」には反する

問題は事実をどう伝えるかということにある。

ミッドウェー海戦では「日本が出撃させた空母は四隻すべて沈没したのに対し、米空母は三隻中一隻沈没」という事実がある。一方「大本営が『ミッドウェーの戦闘結果は米軍と互角だった』と発表した」という別の事実もある。

ニホンウナギの採捕量が前の年より上回ったことも事実なら、この採捕量は一九八〇年代と比べて半分近くにまで減っており、絶滅が心配されていることも事実だ。

ジャーナリズムは事実を伝えるが、「どういう事実を選んで伝えるか」には伝える側の考え方や視点が必ず入る。そこに完全な「中立」は無理だ。問題は、その視点の選び方が市民にとって良いものかどうかである。ここがまずいと、「軍は互角の戦闘だったと発表した」「ウナギの採捕量が前年より増えた」と事実を伝えているのに、本当の実態、つまり真実には反するということも起きてしまう。

ジャーナリズムの仕事は「真実の、入手可能な最良のバージョン」を提供すること――これは、アメリカのジャーナリスト、カール・バーンスタインによる定義だ。バーンスタインは、ワシントン・ポスト記者として同僚ボブ・ウッドワードと組み、ニクソン大統領の任期途中の辞任につながったウォーターゲート事件を報道したことで知られる伝説のジャーナリストだ。真実を伝えるなんて、神さまでない人間には困難だ。だがあきらめず、あくまで真実を目指してもがかなければならない、せめてやれる範囲でベストを尽くせと、このバーンスタインの言葉は戒める。

大戦中の日本メディアは真実を伝えなかった。大本営がそう発表したからという表面的な「事実」でごまかしてしまっていた。しかしインターネットとＳＮＳが発達した今では、情報があふれ、真実が届きやすく思える。「日本の空母が撃沈される画像がある」「ミッドウェーでは本当は惨敗したようだ」という情報がすぐに出回って、情報操作を計画する余裕などなさそうだ。ジャーナリズムに代わり、インターネット情報は親切で面白く、市民の力になってくれるようにみえる。

第三章

もうSNSだけあればいい？

1　SNSと報道メディアはどこが違うか

世界の六割近くが「ニュースはSNSから」

あなたはニュースをどうやって知るだろうか。

イギリスのオックスフォード大学ロイター・ジャーナリズム研究所が世界四六の国と地域の人々を対象に、ニュースとどう関わっているかを調べた二〇二二年の調査報告によれば、テレビでニュースを知るという人が六一％、ラジオは二六％、新聞・雑誌など印刷物は二三％。これに対し、ユーチューブやツイッター、フェイスブックなどインターネットのSNSでニュースを知るという人は五七％にのぼる。SNSはソーシャル・ネットワーキング・サービスの略で、ソーシャルとは「交流の」「付き合いの」という意味だ。英語圏ではSNSを、役割に応じ「ソーシャルメディア」または「ソーシャル・ネットワーク」と呼ぶが、この本では日本で広く受け入れられる「SNS」を用いることにする。

日本の場合、SNSでニュースを得るという人の割合は世界全体より低く、二八％だ。それでも九年さかのぼった二〇一三年は一七％で、少しずつ増えている。一方、新聞・雑誌は二〇一三年調査では六三％、二〇二二年は二七％。九年で半分以下という激減ぶりである。比較的

何からニュースを知るか

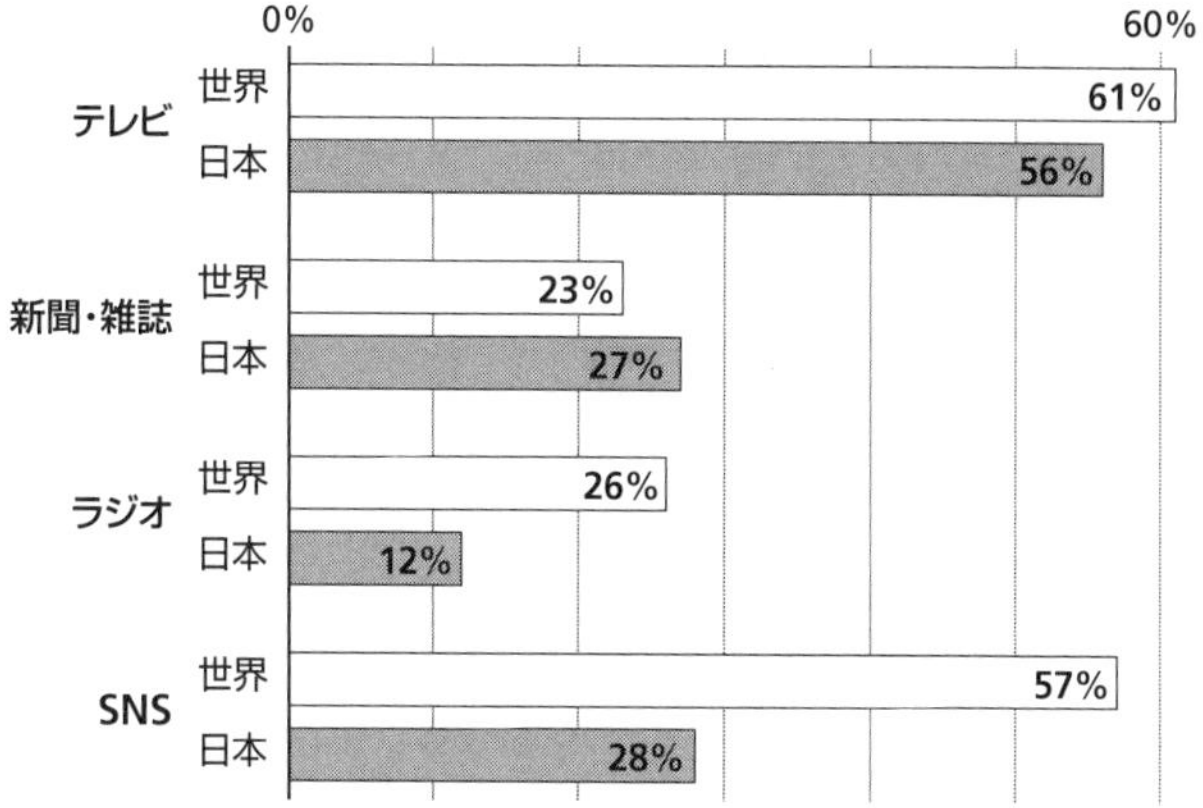

オックスフォード大学ロイター・ジャーナリズム研究所が
世界46の国、地域を対象にした2022年調査報告による

安定して高いのはテレビで、六〜七割前後を維持している。

　ＳＮＳは世界中でニュース源となっている。ツイッターやフェイスブックに流れてくるニュース記事を読み、ユーチューブやティックトックのニュース動画、時事解説動画を見る。それがＳＮＳ時代のニュースの伝わり方になってきている。

　メディアの側もＳＮＳを活用している。アメリカの記者一〇八〇人を対象にした二〇一三年の調査結果によると、七八・五％が「ニュース速報を知るため」にＳＮＳを使う。「他の記者が何を報道しているかチェックするため」も七三・一％。「ニュースのネタを探すため」「取材相手を見つけるため」「ほかに情報がないか調べるため」「読者・視聴者とつながるため」という目的も半数以上の記者が挙げた。熱心に仕事をするため、ＳＮＳを絶えずチェックするアメリカの記者の姿が目に浮かぶ。

調査したシラキュース大学のラーズ・ウィルナットとインディアナ大学のデービッド・ウィーバーは同時に、記者たちにとってＳＮＳを使ったことにより何が実際に良かったかも調べている。八割以上が「自分と、自分の仕事をよりうまく宣伝できる」。「自分の読者・視聴者との関わり合いを強めた」も七割近い。自分の書いたニュースに対する市民の反応が投書や電話、せいぜいメールだった時代と比べると、ＳＮＳを通じて記事への反響ははるかに届きやすくなった。総じて、ＳＮＳは仕事に良い効果をもたらしたと七二％が答え、仕事に悪い影響があったというのは七％だった。

拡散される偽情報・誤情報

ニュースを利用する側も、出す側も、ＳＮＳに頼りつつある。ただ日本の総務省が二〇二一年にメディアごとの信頼度を調べたところ、ＳＮＳを信頼できるという人は一五％だった。同じネット情報でも、情報のおおもとに報道機関が多い「ポータルサイトやソーシャルメディアによるニュース配信」（ヤフーニュースやＬＩＮＥニュースが当てはまる）では四二％。一方、テレビ、ラジオへの信頼となると五〇％強、新聞は六〇％を超えている。確かにＳＮＳにはあやしげな情報も多いのが怖いところだ。

　事実に反する情報には二種類ある。一つは、偽情報（ディスインフォメーション）。事実と違うと知った上で、わざと発信する。目的は面白半分、混乱を起こす、人を攻撃するなどだ。もう一つは誤情報（ミスインフォメーション）。正しい情報と信じていたが実は間違い情報だった場合だ。こちらは誰でもやりかねない。報道記者さえも取材不足、確認不足で「誤報」をすることがあり得る。

「フェイクニュース」という言葉がよく使われたが、政治家たちが自分たちに批判的な報道をとにかく「フェイクニュースだ」と非難し、その記事を信じさせまいとする例が増え、意味があいまいになった。そのためフェイクニュースという言葉を専門家や報道機関が避けることも増えている。

　偽情報、誤情報の拡散の深刻さが日本で議論になった例が、二〇一六年四月に発生した熊本地震だ。二度にわたり最大震度七を記録し死者五〇人を出した大災害だったが、そのさなかにツイッターに「おいふざけんな、地震のせいでうちの近くの動物園からライオン放たれたんだが　熊本」と投稿した人がいた。夜の道路をライオンが歩いている写真もつけてある。これはデマで、写真は南アフリカで撮影されたものだった。このほか「震源から一一六キロの九州電力川内原子力発電所（鹿児島県薩摩川内市）で火災が発生」「震源地そばのショッピングセンター『イオンモール熊本クレア』（熊本県嘉島町）も火事」など事実に反する情報が次々にツイッターに投稿された。

深刻なのはこの地震の際に「朝鮮人が井戸に毒を投げ込んだ」という内容を投稿した人が複数いたことだ。一九二三年の関東大震災で大勢の朝鮮人が襲撃を受け、虐殺された事件を引き起こしたデマが「井戸に毒」だった。それを面白がり、差別を拡大する最低な行為というほかない。

「ブチャの生きている遺体」をめぐる情報戦争

海外でも偽情報、誤情報のＳＮＳ拡散が大問題になっている。

偽情報が多く拡散したのが、二〇二二年二月二四日に始まったロシアの隣国ウクライナ侵攻だ。国際社会ではロシアによる不当な侵略だと見る批判の声が強まるが、ロシア政府はこれを認めようとせず、欧米の一方的な非難だと反論している。そんな中で、ＳＮＳをはじめネット上での情報も入り乱れている。ドイツの公共放送ドイチェ・ウェレは「とりわけＳＮＳ上で、大規模な偽情報キャンペーンや標的を定めた宣伝、陰謀論に満ちた情報戦争」が起きていると指摘している。

その一つとしてドイチェ・ウェレが挙げたのが「ブチャの生きている遺体」だ。ブチャとはウクライナの首都キーウに近い住宅地で、侵攻開始直後にロシア軍が一時占拠していたが、まもなく撤退した。そこに残されたのが数百人に及ぶ市民の遺体だった。この惨状を最初に世界に報じたフランスＡＦＰ通信の記者、ダニー・ケンプは「がれきの散乱する一本道のあちこちに残された、遺体、遺体、遺体。荒涼とした道はこの世のものと思えなかった」と記す。これらの遺体は服装から一目で民間人と分かり、後ろ手に縛られたものもあったという。遺体はそこだけで二〇〇人にのぼった。

報道されると世界中からロシアへの非難の声が上がった。ドイチェ・ウェレの検証記事によると、これに対してロシアは、ブチャの多数の遺体をとらえた動画について「仕込まれたプロパガンダ制作物」だと反論した。ほどなくＳＮＳ上に、この主張に沿う情報が拡散し始める。遺体として写っているのは実は俳優で、動画の中では遺体が動いているのも見えるというのだ。

だが、ドイチェ・ウェレが動画を詳細に検討したところ、遺体の手が動いているように見えるのは、この動画が移動中の自動車から撮影され、車の窓の雨滴によってそう見えるだけだとはっきり分かり、さらに外部のデジタル検証専門家も同意見を示したという。それに、そもそも多数の遺体がこの街にあることは衛星画像からも確認できることも付け加えている。

二〇二〇年のアメリカ大統領選挙を中心に、アメリカの市民運動団体アバーズ（ＡＶＡＡＺ）がフェイスブックと偽情報について二〇二一年三月にまとめた報告書もある。ＳＮＳの老舗、フェイスブックは日本では不人気だが世界では利用者が多く、偽情報の拡散も大きな問題となっているのだ。

アバーズの報告書は、二〇二〇年のアメリカ大統領選挙で民主党候補バイデンが現職の共和党候補トランプを破って当選したのは不正選挙だった——というデマが蔓延《まんえん》していると警告する。「バイデン陣営は、特別なコンピュータープログラムでトランプの票をバイデンに不正カウントさせた」などだ。これらの情報は既にファクトチェック団体が事実でないと指摘済みだが、何十万人も閲覧したり「いいね」したりして拡散しているという。数は比較的少ないが、トランプ側を非難する内容の偽情報もまた拡散していることも報告書は指摘する。

動画を楽しめるティックトックの「情報汚染」も深刻だ。若者は知りたいことがあるとグーグル検索よりこれらＳＮＳアプリの検索機能を使うことも多くなっている。アメリカの情報検証団体「ニュースガード」が二〇二二年九月、ティックトックの検索機能で「コロナワクチンの真実」「中絶は危険か」などを調べて正しい情報が得られるか、を検証実験した。二七の語句の検索結果のそれぞれ上位二〇件を分析すると、一九・四％が事実に反する、または誤解を生む内容だったという。

コロナワクチンに使われる技術「ｍＲＮＡワクチン」を検索すると「子どもの重要な内臓に永久にダメージを与えることがよくある」など、専門家が否定している内容が表示される。コロナへの有効性は認められない抗マラリア薬「ヒドロキシクロロキン」で検索すると、グレープフルーツとレモンの皮から作るという偽レシピ。ヨモギを使った中絶法という、安全性も有効性も確認されていないやり方が表示されることも報告書は指摘する。

世界で一〇〇以上のファクトチェック団体が活動

ここに挙げたファクトチェック団体とは、疑わしいネット情報や、政治家の威勢良い発言について真偽を調べる「ファクトチェック」を手がける団体だ。

アメリカに拠点を置く「国際ファクトチェッキング・ネットワーク」は世界で一〇〇を超すファクトチェック団体と連携して活動している。中にはＡＰ通信、ロイター通信のような伝統的な世界的メディアもあるし、記者たちが独自に新しく立ち上げた組織もある。南アフリカの「アフリカ・チェック」、ブラジルの「アオス・ファトス」などだ。インドの「ファースト・チェック」の創立者サイエド・ナザカットはベテラン調査報道記者で、東京でも二〇一九年に記者向けイベント「報道実務家フォーラム」で講演し、「人が最大の情報源。毎日、五人と会え」と日本の記者たちにアドバイスしている。

日本でも二〇二二年にジャーナリストや学者が協力する「日本ファクトチェックセンター」が発足し、この「国際ファクトチェッキング・ネットワーク」の規範をもとに活動している。

また、その五年前の二〇一七年にできた「ファクトチェック・イニシアティブ」では新聞、テレビ、ネットメディア、大学でジャーナリズムを学ぶ学生のメディアがパートナーとなりファクトチェックをしている。例えば——

元航空自衛隊トップの田母神俊雄がツイッターに二〇二一年一二月一三日、「長野五輪で5千人の中国人が集合し暴動になったことを忘れてはならない」と投稿した。

↓ファクトチェック・イニシアティブに参加するバズフィード・ジャパンは、そんな事実はないとして「誤り」との判断を示した。

二〇二一年衆院選を前に、SNSでは「外国人の選挙運動は違法」という指摘が多数投稿された。

↓やはり同イニシアティブに参加する毎日新聞は、公職選挙法に外国人の選挙運動を禁止する規定は含まれていないことを指摘し、この主張は「誤り」とした。

この二つは明快なのだが、次はややこしい。

自民党幹事長だった甘利明が二〇二一年一〇月一七日のNHK番組『日曜討論』で「世界を席巻しているスマホも3Dプリンターも量子コンピューターも全部、日本の発明です」と発言した。

↓同イニシアティブに参加する朝日新聞はこの言葉の正誤を解き明かそうとした。日本がスマホを発明したといえるかどうかは、つまり世界で最初のスマホを日本が発明したかどうかだ。となると、世界で最初のスマホは何だったかを、まずはっきりさせる必要がある。アップルのアイフォンか、その前にキーボードつき多機能携帯電話として世界的に人気だったカナダのブラックベリーか。これらだとすると、日本がスマホを最初に発明したとは言えなくなりそうだ。一方、それらより前、世界で初めて携帯電話のインターネット接続サービスを実現したNTTドコモのiモードまでさかのぼって、スマホのさきがけだと言えれば、これは日本が作ったものだ。ただこうなると、解釈や見解が専門家の間でも分かれてしまい、真偽を証明することが困難で、スマホについては「判定留保」とした。

一方、3Dプリンターが日本の発明というのは「ほぼ正確」。

最後に量子コンピューターは、日本人が大きく貢献はしているものの、各国の多くの研究者が開発を重ねて今に至っていて、誰か一人の発明とはいえないという専門家の見方があり、「日本の発明」とした甘利の発言は証拠・根拠が非常に乏しく「根拠不明」とした。

この最後のケースは本当に歯切れが悪い。白か黒か、善か悪か、はっきりしてほしいが、事実に忠実に調べるなら、それはしばしば単純に割り切れない、スカッとしないものだと示しているようだ。

記者はどうやって問題ツイートの誤りを暴いたか

実際の記者はどのようにファクトチェックをしているのか。二〇二一年三月三一日、ツイッター上に「民主党政権下でのウイルス学会など廃止により、日本のコロナワクチン開発が打撃」という情報が投稿された。

昔は世界トップクラスのワクチン開発国だった日本。その日本がいまだに武漢ウイルスワクチン不成功なのは、民主党による事業仕分けで、多くの国民が反対したにもかかわらず「日本ウイルス学会」「日本細菌学会」「日本寄生虫学会」「感染症学会」の4学会廃止したことが原因。感染拡大は民主党の責任。

二〇二二年一〇月現在で一七〇〇超のリツイート、二八〇〇超の「いいね」がつき拡散している。投稿者は「井上太郎」というアカウントで、五万九〇〇〇人を超えるフォロワーを持つ。自己紹介は「『誇り高き国、日本』右翼でも左翼でもない、保守でも革新でもない。ただ日本を愛し、日本と日本国民を守りたいだけ（略）」という。

二〇二〇年以後世界的に流行した新型コロナウイルス感染症から人々を守るためのワクチン開発に日本が出遅れており、それは、二〇〇九～一二年の民主党政権下で行政支出を削減しようと行われた「事業仕分け」で関連学会が廃止されたことだと、この投稿は言う。もしそうなら、民主党の流れを汲む立憲民主党や国民民主党が政府与党（自民党・公明党）のコロナ対策を批判しても「だけど、そういうあなたたちは……」と疑念を抱かせる。

これを調べたのが毎日新聞記者の藤沢美由紀だった。これらの学会や政府の資料を調べると、これら四つの学会は廃止されてもいないし、そもそも民主党政権でターゲットにされたことすらない。だから藤沢の記事は明快だ。

「事業仕分けで４学会廃止」は誤り　拡散したアカウントの対応は

「日本で新型コロナウイルスのワクチン開発が成功しないのは、民主党による事業仕分けで『日本ウイルス学会』など４学会を廃止したことが原因」――。新型コロナを巡ってワクチン開発や確保に注目が集まる中、こんなツイートが拡散している。しかし、事業仕分けの対象は学会の存廃ではなく、しかも4学会が廃止された事実はない。このツイートは誤りだ。……

このファクトチェックをどのように行ったのか。藤沢に尋ねてみると、最初はあまり気が進まなかったという。ちょっと調べれば学会が廃止されてなどいないことは分かる。それをあらためて記事にするのも……と思ったが、多くの人が「いいね」やリツイートで拡散しているため、見て見ぬ振りもできなかった。そして、藤沢の属する毎日新聞は、ネット上で拡散する偽情報、誤情報から市民を守ろうと積極的なファクトチェックの取り組みをしている。となるとここは出番である。

そこで、まず事実の確実な裏付けから入ったという。

「検索してホームページを見るだけで、最近の情報も載っているし『存在する（廃止されていない）のだろう』と思いました。コロナの関係でテレビに頻繁に出ている人が理事をやっている学会もあります」

となると、それだけでこの四学会はいずれも「生存確認」といえるのではないか。

「メールを送ったり、電話をしたりして確認を取りました」

なぜわざわざそんなことを。ホームページに書いてあることを見れば一目瞭然では。

「やはり生身の人間に答えてほしい。記者の習性として、万が一というか――ファクトチェックして『うそ』『違う』という以上は、特に慎重にやらなければ。念には念を入れ、できるだけリアルに確認をしたい。裏を取るのは基本ということです」

だから藤沢は実際に生身の人とのやりとりを行い、その結果、四学会とも存続していることがはっきりした。だが藤沢の仕事はここで終わらない。「学会廃止」は事実に反していたが、この学会が関わったプロジェクトが「事業仕分け」の対象に挙げられていた。プロジェクトを廃止するか予算を減らすかを求められたのだ。

念のため、これがどうなったのか確認しておくべきだ。これまた藤沢は何日もかけて取材する。プロジェクトの予算は削減されたものの、その後も続いていたことまで判明した。

となると「四学会を事業仕分けで廃止」というツイートはもう、まるっきり事実に反する情報といってよさそうだ。

「すごくエネルギーを割いたり、足を使ったりというのでは全くないですが……」

と、藤沢は言う。確かに何日間も張り込んだり、重要人物の居場所を必死に割り出して食い下がったりという取材ではないが、事実を確認するのにはリアルなやりとりを手間ひまかけて行わなければならない。逆に、こんな情報を流し、拡散させるのは気軽にできる。藤沢はこのツイートを投稿した「井上太郎」にも問い合わせた。その結果は記事にも記されている。

毎日新聞はこのツイートについて、「井上太郎」氏のブログやオンラインサロンの案内を掲載しているホームページにメールで問い合わせた。すると「サイトの事務局」と名乗る人物から返信があり、「（井上氏に）電話で聞いたところ、複数のサイトを見てツイートしたと申しております。もし正確でないなら、調べて正確なことに訂正するとのことでした」と回答した。

「事務局」氏からのメールは、担当者の名前も名乗っていなかったという。「訂正する」との言に反し、このツイートは訂正も取り消しもされないまま、残されている。

デマは真実より速く広く拡散する

こうした取り組みは世界中で続いているのだが、それでもＳＮＳ上のデマはとどまるところを知らない。

デマの方が真実より速く広くネット拡散するからだ。

アメリカ・マサチューセッツ工科大学メディアラボのソルーシュ・ボソギらがツイッター投稿（二〇〇六〜一七年の一二万六〇〇〇件）を分析すると、誤情報は真実情報の六倍速く拡散していた。誤情報は拡散する範囲も真実情報よりはるかに広かった。これでは、誤情報を打ち消すために真実情報を発信しても、勝ち目はない。

そこで、誤情報を信じてしまった人に対し、後からでもファクトチェックと真実情報の提供によって、間違いを修正するというやり方はどうだろうか。アメリカの有名な実験がある。

二〇〇五～〇六年、ダートマス大学のブレンダン・ナイハンとエクセター大学のジェイソン・ライフラーは大学生一三〇人に、政治家が事実に反する発言をした記事を読ませる。「イラクに大量破壊兵器が存在する」「減税により景気が良くなり、その結果政府の税収額は増えた」「ブッシュ大統領は幹細胞研究を禁止した」という発言をそれぞれ伝える記事だ。そして次に、その発言は正しくないことを事実に基づき説明する記事を読ませる。

さて、真実情報の記事を読んだことで考えが変わったか。つまりファクトチェック記事に効果があるかどうかだ。

実験では、三つの誤情報について、いずれもそれを強く信じるグループにはファクトチェック記事があまり効かず、場合によってはファクトチェック記事を読んだ後、むしろ誤情報を強く信じるようになる逆効果が起きていたという。

その他さまざまな研究の中には、選挙のときに支持する候補者のマイナス情報を聞かされた有権者がかえって支持を強めた、子どもへのワクチン接種を拒む親にワクチンの効果と安全性を説明するとかえってワクチン拒否を強めたという研究もある。やはり逆効果というわけだ。

となると、真実情報か間違い情報かにかかわらず「人は結局、信じたいものを信じる」ということか。ファクトチェックをして真実情報を発信するなど、無駄なのか。

そんなことはない、ファクトチェック発信には意味がある——という研究もある。ジョージ・ワシントン大学のイーサン・ポーターとオハイオ州立大学トーマス・Ｊ・ウッドが二〇一九年に発表した研究では、誤情報を打ち消す真実情報を知らなかった人は三二％しか正しい判断ができなかったのに対し、真実情報を知らされた人は六割近くが正しく判断できたとまとめる。自分が支持する政治家の言ったことが誤情報だとファクトチェックで指摘された場合でも、かえって支持を強めるだけということにはならず、考え方を修正する効果は確実に存在するという。

逆効果研究と異なる結果だ。何が違ったのか。こちらはアメリカで一万人という多人数を対象に一三の研究実験を行ったことから「過去の調査に比べ、もとになった被験者数がはるかに多い。素材となった情報の種類もはるかに多様だ」と述べている。つまり、調査規模が大きいこちらの方が正確な結果というのだ。そうならば「もっとしっかり調べたところ、デマに対抗するファクトチェックと真実情報の発信はやはり意味があることが分かった」ということになる。

いや確かにそうなのだが、やり方次第だ——と指摘するのは、政治学者のリー・ドラットマンだ。この一万人調査を踏まえ、ファクトチェックと真実情報発信のコツを挙げた。アメリカのデータ分析ネットメディア「ファイブ・サーティエイト」（538）によると、そのコツとは次の四点だ。

1．ファクトチェック側の発信源が高く信頼できること。意外性がある場合は特にプラスが高まる。例えば、共和党政治家が他の共和党政治家（つまり仲間）の発言を間違いだと指摘する場合など。

2．単純に「間違いだ」「根拠がない」と言うだけでなく、新たな枠組みで考えられる材料を提供すること。

3．伝える相手に対し、その人の世界観や信念を否定するようなことをしない。

4．早くやること。事実に反する発言が勢いを得る前に。

2を補足すれば、「言い返す」ような言い方をしては駄目ということだ。「北極の氷はどんどん厚くなっているというのはデマ」と言い返せば、むしろ「氷がどんどん厚く……」という主張も印象に残る。そうではなく別のデータや事実を丁寧に紹介するよう勧めている。

一方で、一万人調査をして「ファクトチェックと真実情報発信には意味がある」と結論づけたポーターとウッドの二人も、デマの拡散速度は、特にツイッターでは真実より速いことを認めている。

これらをまとめると、ファクトチェックと真実情報の発信は、デマを打ち消し、誤情報から市民を守る力になる。だが調査に手間も時間もかかる。発信や表現の仕方にも工夫を重ねなければ効果が出てこない。デマを発信するのは簡単なのに、である。

「市民にとって大切かどうか」で判断する

ＳＮＳは自分が言いたいことを発信できるから楽しいし便利だ。政治家、ビジネスエリート、有名人たちが生の声を伝える。他人に編集されない。だからこれほど正確なことはない、と発信する側としては思える。となると、もう報道機関は不要、ＳＮＳで生の情報に触れる時代になるという見方もできる。

「知らせたいことを知らせる」ためならＳＮＳが最強かもしれない。

では「知らせたくないこと」はどうか。例えば大学の不正入試、大企業のサイバー攻撃被害、市議会議員の政務活動費着服、防衛省の事実に反するデータなどだ。自分からＳＮＳで明らかにすることはない。できれば隠したい。それをわざわざ調べ、公表するのは報道記者ぐらいだ。

内部告発をSNSでしようとする人はいるだろうが、ありそうな「内部告発や実体験を装った作り話」との区別に悩むだろう。

「知られたくない」ほどではないが「特に知らせようとまでは思わない」ことはどうか。この中にも、社会の「運営側」である市民にとっては重要な問題がたくさん眠っているかもしれない。

ここに違いがある。

SNSに比べ、報道メディアは情報の受け手、つまり市民にとって大切かどうかを最重要と見る――少なくともそれが建前になっている。

大切な問題を知ってこそ、市民として確かな意見を持て、正しい行動ができる。民主主義社会のドライバーとして、より良い道を選べる。そういうデータを提供するのが、ジャーナリズムの役割だからだ。

だから、「本人が知らせたいかどうか」より「市民にとって、大切な真実かどうか」で判断する。ただ面白いだけではニュースにできない。市民の生活で知っておくべき社会や政治や経済の動き、事件や事故といった重大問題発生とその詳細、有力者の不正、インフルエンサーの真の姿にも探りを入れ、まずい点はないかを明らかにする。市民の視界が三六〇度取れるよう、また重要な情報は誰もが共通して持てるよう、定食のようにバランスを大切に幅広く提供する。逆に、一党独裁で自由を抑圧する社会の場合、政治家の不正を勝手に探る報道はもちろん許されず、事件や事故など世の中がうまく行っていないことを知らせる報道もまれになる。

1. ジャーナリズムの第一の責務は真実である
2. 第一の忠誠は市民たちに対するものである
3. その真髄は事実確認の厳格さにある
4. その仕事をする者は報道対象から独立を保たねばならない
5. 独立した権力の監視役を務めなければならない
6. 皆が批判と歩み寄りの議論をする場を提供しなければならない
7. 重大なことを面白く、自分事に感じられるよう努めなければならない
8. ニュースがものごとの全体像をバランス良く示すように保たねばならない
9. その仕事をする者は個人としての良心に従うことが許されなければならない
10. 市民もまたニュースに関して権利と責任がある

これは、アメリカの本『ジ・エレメンツ・オブ・ジャーナリズム（ジャーナリズムの原則）』

が掲げる報道のおきて一〇カ条だ。

１や３が言うように報道は正確さが命だ。だから報じる内容は記者、編集者（デスク）、編集責任者、校閲……と複数の目でチェックする。SNSのように機敏にいかないこともある。

２にあるように報道は「市民たちにとっての利益」を目指す。「自分が知らせたい」より「市民は知っておいた方がいい」が中心に来る。

難しいのは４、５だ。報道対象から独立を保つ。つまり、報道する対象が満足するのがいい報道、というわけではない。あくまで市民が第一。取材相手にどんなに共感しても、その人の利益になるようにと考えて報道すれば、それは市民第一と言えなくなり、広告や広報の仕事になってしまう。

取材対象から独立し、第三者としての立場を貫くなら、自分で自分のことを伝える楽しさは、報道には原則として認められないことになる。だから報道メディアが自社主催のイベントを報じる場合も、普通にニュース価値があるときのみ、他人事のように突き放して報じる姿勢が求められる。ただ自社イベントをニュースとしてことさら大きく扱うことは現実によくある。「市民のために報じる」建前と食い違う深刻な問題といえる。

2　SNSの吸引力は怒り・不愉快さ

あなた好みに切り取った世界

二〇一二年一二月、当時の民主党政権は衆議院選挙で惨敗し、自民党が圧勝して政権に返り咲いた。この選挙後、大規模な不正選挙が行われたという憶測がSNSで広まった。自民圧勝は、民意ではなく一部の者が仕掛けた不正によるものだという。

「福島で自民圧勝って本当!?　あれだけの原発事故にあいながら原発推進？　信じられない。不正選挙が行われたと思わざるをえない」「周りは年齢性別にかかわらず今回の自民大勝の結果に驚き失望し怖れてる人ばかり。これが何を意味しているかは歴然。不正選挙しかないだろう」

これらは当時のツイッター投稿である。自分の実感と選挙結果がかけ離れているため、不正を疑うわけだ。

現実には、開票作業は公開され、誰でも参観できる。公立体育館など広い場所が使われ、自治体職員たちが投票用紙を数え記録する様子のすべてを誰でもチェック可能だ。作業中のフロアには各党候補者の陣営などから選ばれる開票立会人も陣取って至近距離からチェックし、実際に票の束を確認して印鑑を押す。衆人環視の中、不正はたやすいことではない。

　不正選挙疑惑の発端は、選挙結果が「実感と違う」と感じる人が多数いたことだ。その実感はどこから来たのか。

　この選挙前の世論調査では、どの報道メディアでも自民党の優勢は明白で、自民大勝は選挙前から広く予想されていた。選挙前の議席予測は重要ニュースだから、ニュースの「定食」で言えば欠かせない一品として報じられる。紙の新聞なら一面で、放送ニュースでも最初の方に配置される。情報の受け手が定食派だったら見逃す恐れは小さく、自民大勝は想定内となる。

一方、自分好みの相手を選んでフォローし、情報源とするのがSNSなので、「定食」なら必ず入っていたはずの世論調査結果や選挙予測を知らされないということはあり得る。急に開票結果を見れば、ショックを受ける人も出てくるだろう。SNS時代、あるいは「定食」型報道の退潮時代の初めに「不正選挙」が話題になったのはそれが背景と考えられる。

　SNSでは何でも世界中に発信でき、世界中から声を集める強力なシステムだ。だが同時に、お気に入り同士でつながる「あなた好みに切り取った世界」でもある。フェイスブックもツイッターもティックトックも、一人一人見るものは全く違う。同じ韓国の話題でも、人によっては韓国のアーティストや映画の話題、人によっては韓国政府を非難する話題を中心に表示されているかもしれない。

SNSは、ユーザーの選択を分析して自動的に「あなたに向いたコンテンツ」を多く表示させる仕組みも備えているから、「あなた好み」の濃度はさらに高まる。この状態は「フィルターバブル」と呼ばれる。バブルつまりシャボン玉のような、小さなカプセルの中にいて、外界とはフィルターで仕切られる。そのフィルターが好みの情報だけを選別する。自分のカプセル内は「あなた好み」の情報で充満する。

自分が見ているSNS内で似た立場、同じ趣味、近い思想信条の人が集まり、「そうだそうだ」と思える意見を交わし合う。不愉快なことを言ってくる人は外し、もっと共感できる人をフォローし続ければ、ますます「そうだそうだ」と思える意見が響く。この現象は「エコーチェンバー（反響室）」にたとえられる。いろいろな音が聞こえるようでいて、結局は自分の意見がガンガン反響しているのを聞き続けるに等しいというわけだ。

「あの人もそう思うのか。本当にそうだよね」。SNSの画面を見て確信を持つ。「世の中、こういう方向に動いている。みんなそう考えている」。そこに、考えもしなかった選挙結果が飛び込んできた——。

この環境に置かれれば、アメリカでも日本でも、SNSでの空気感に反する選挙結果を「不正だ」と思うのは、むしろ人の正義感として当然かもしれない。

そして自分好みのSNSの方が、これを食べろ、この分野もどうだと押しつけがましい「定食」メディアより親しみを持てるのもまた、当たり前かもしれない。

「スマホアプリはスロットマシン」

だが専門家によると、ＳＮＳの引力はそれだけではないという。

アメリカ・ジョージタウン大学准教授（コンピューター科学）のカル・ニューポートによると、スマートフォンとそのアプリは一種のスロットマシンだ。彼の著書『デジタル・ミニマリスト　スマホに依存しない生き方』（池田真紀子訳、ハヤカワ・ノンフィクション文庫）の指摘によれば、スマホアプリをチェックすると、愉快なこと、興奮してしまうことが出てくるため、ついすき間時間にチェックしてしまう。毎回確実に出てくるわけではなく、何回かに一回というのがミソだ。余計に「今度こそ」と無意識に期待する。そうやって、アプリの使用時間が長くなるように仕掛けてくる。友人の面白い投稿、「いいね」したくなる写真、自分の投稿に「いいね」やコメントがついたか、話題になっていないか。すき間時間に「ちょっとだけ」とスマートフォンを取り出す。ついでにもうちょっと見ておく。ＳＮＳなど無料サービスの提供側にとっては、大切なのはそこだ。とにかく利用時間が延びれば、広告収入が伸びる。

「スマホアプリはスロットマシン」説はカナダ出身のクリストファー・ワイリーも唱える。イギリスの情報戦略会社ケンブリッジ・アナリティカ元幹部だ。同社は二〇一六年アメリカ大統領選挙で、ＳＮＳ戦略を通じてトランプ勝利に寄与したことで知られる。つまりＳＮＳを知り尽くした人物だ。ワイリーの内部告発書『マインドハッキング　あなたの感情を支配し行動を操るソーシャルメディア』（牧野洋訳、新潮社）もＳＮＳをスロットマシンにたとえる。当たりを求めてレバーを引き続ける人のように、ＳＮＳユーザーは刺激を得られるコンテンツを求め、画面をスワイプし続けることになると指摘する。

特にＳＮＳユーザーを引きつけるのが「不快なコンテンツ」か「腹立たしいコンテンツ」なのだとワイリーは言う。だから怒りや不愉快さをあおる投稿は注目され、どんどん拡散され、ＳＮＳに満ちる。意見の違いを踏まえながら合意点を探る議論ではなく、「敵か味方か」と対決し「論破」するけんか腰の発言や、その見物を楽しむような投稿が増えることになる。選挙結果が自分の予想とかけ離れたとして「支持政党が弱点をどう克服すると良いか」ではなく「謀略だ」「敵を許すな」と叫ぶ方が広まりやすいというわけだ。

そういう情報が人々の気を引くことにはちゃんとした理由があるのだそうだ。スウェーデンの精神科医アンデシュ・ハンセンの『スマホ脳』（久山葉子訳、新潮新書）によると、人類はその歴史の大半で、猛獣や他の人間に殺される危険にさらされてきた。そんな危険の中で、のんきなタイプはやられてしまう。何とか生き延びるのは、恐怖情報や危険情報に強い関心を向ける人だ。そうやって長い歴史を経るうちに、人間にそういう注意力が発達したのだという。そして、

SNSはユーザーが好む情報を拡散するようアルゴリズムを調整していく中で、脅威や不安、対立に関する情報を多く拡散するようになってしまう。

だがそれをいえば、報道だって社会問題や政府の失策・不正、犯罪など腹立たしい情報を騒ぎ立てているではないか。ハンセンはこれに対し、報道メディアには「決定的な違いがある」と反論する。「新聞やテレビのニュース編集局は、どのニュースを報じるかを選択し、それが面白いかどうかだけでなく、真実かどうかも精査する」。他方「フェイスブックのタイムラインに流れてくるニュースは、コンピューターのアルゴリズムが選んだものだ。つまり、拡散される記事に書かれていることが真実かどうか、そこに責任を持つ編集局はフェイスブックには存在しない。(略)内容が正確かどうかはまったく関係ないのだ」という。この精神科医ハンセンもまた、SNSをつい見てしまう心のメカニズムはギャンブルと同種だと指摘する一人である。

SNSの危険性がこんなにも議論されるのは、SNSが私たちの生活に浸透してきたことの裏返しだ。友人や同僚とつながるのも、ニュースを知るのも、SNS。社会の一部になっている。

自然の中で、多様な生き物がいる生態系に新しい生き物が登場し、繁栄すれば、かつて栄えた生き物は絶滅するというわけではなく、それはそれで生き残る。メディアの生態系も、ラジオ、映画、テレビ……と新顔が来るたびに古株の影が薄くなりながら「共存共栄」の道を探り、時には互いに支え合うように思われる。ＳＮＳも実際、記者によって活用され、一方で報道メディアの記事はＳＮＳの重要コンテンツになっている。

ＳＮＳにはＳＮＳの得意分野があり、ジャーナリズムにはジャーナリズムの譲れない価値がある。お互いを尊重し、共存共栄するのが理想――。

だが、そう甘くない事態が進行していた。

3　ＳＮＳが記者を襲う

ノーベル賞受賞記者はなぜ叩かれたのか

二〇二一年のノーベル平和賞は二人のジャーナリストに贈られた。フィリピンのネットメディア「ラプラー」代表のマリア・レッサと、ロシアの新聞ノーバヤ・ガゼータ編集長のドミトリー・ムラトフだ。

この二つのメディアは、それぞれの国の強権的な政権を批判し、逆境に直面していた。レッサはフィリピンで名誉毀損罪により逮捕、起訴されている。ノーバヤ・ガゼータでは、看板記者の一人アンナ・ポリトコフスカヤが二〇〇六年に何者かに射殺されたのをはじめ記者と寄稿者計六人の命が奪われている。そんな中で自由な報道を続けようと奮闘する二人だから、その受賞理由は、「民主主義と恒久平和の前提条件である表現の自由を守る努力」だ。そして「世界中で民主主義と表現の自由がどんどん厳しい状況に追い込まれている中、この理想のため世界中で立ち上がっている世界中のジャーナリストをこの二人が代表している」という。

　レッサは小柄な女性で笑顔を絶やさない。それが強い印象を与える。ロドリゴ・ドゥテルテ政権下、一〇件もの逮捕状が出されたというだけではない。彼女に襲いかかってきたのは、市民たちの攻撃——政府を批判するラプラーに反感を持ち、SNS上で激しくののしったり脅したりの、反ラプラー・キャンペーンだった。

　ノーベル賞受賞の二年前、レッサはアメリカの雑誌タイムでこう証言している。

「ラプラーは二〇一六年一〇月、SNS宣伝工作を取り上げた三回連載の記事を出した。『愛国的荒らし』と後に研究者が呼ぶ、ネット上の政府公認の嫌がらせで、特定の標的の口を封じたり脅迫したりする動きだ。このことを明らかにした後、私に一時間平均九〇通もの嫌がらせメッセージが届いた。翌月まで続いた。

　フェイスブック上の攻撃は陰湿で、徹底して個人狙いだった。私の容姿をいうもの、強姦予告、殺害予告もあった。私は戦争の現地報道も経験し、銃弾飛び交う中にいたこともある。だがこんなことへの覚悟を求められたことはなかった」

フィリピンでのナンバーワンSNSであるフェイスブック上で、ラプラーは偏向だ、捏造だという声があふれ、ラプラー拒否を呼びかけるアカウントが五万二〇〇〇件にのぼるという事態になった。

それでもSNSの拡散力を考えると、ラプラー自体もまたフェイスブックを使うしかない。そんな環境でレッサは苦吟する。

ノーベル平和賞授賞式のスピーチでレッサは「コインの裏表」と言った。市民への情報の流れをつかさどる二人の門番が、コインの両面になっているという。

「片面はジャーナリスト、古くからの門番です。もう片方はテクノロジー。神のような力を持つ新しい門番で、うそというウイルスに私たちを感染させ、お互いを戦わせ、恐怖、怒り、憎しみを持ち込み、強権や独裁の道を世界中で開いているのです」

いったいどうすればいいのか。レッサは続ける。

「最も必要なことは、この情報環境を変えること。憎しみと暴力という汚染物質が駆けめぐっています。こんなことを優先するアメリカのネット企業は、憎しみを拡散し、私たちの中の最悪な心に火をつけているのです。そう、それは、私たちがもっと頑張らなければならないということ。私たちが善い存在になるため、世界には善意があると信じることです」

レッサが言う善意とは何か。彼女は長年、武力紛争や災害などの悲惨な現場を報道してきた。

そんな中で極貧の人たちが何か貢献しようとする場面に立ち会っている。そして、レッサたちのメディア、ラプラーもまた、政府から目をつけられているのに、人々の善意と、そしてリスクをかえりみない支援に育てられてきた。そのことをレッサは挙げ、だから「人間らしさが奇跡を起こす。私たちはそのことを恐怖と暴力の中で見失っている」と訴える。ジャーナリズムは市民を信じ、その良心を信じることを強調する。

市民を信じ、その良心を信じること。普通の市民の、社会の「運営側」としての知性と力にかけることだ。情報を市民に明示することを、「混乱や迷惑のもとだ」とばかにせず、市民は賢明で、良い議論をする存在だから詳細で真正な情報を提供するという立場に立つことだ。そして、少数のエリートが情報を管理するのでなく、広く市民が社会の在り方を決めるという民主主義の意義を確信することだ。レッサは多数のSNSユーザーにボロボロに叩かれ、なお市民の良心を信じて訴える。ここにジャーナリズムのよりどころが見える。

女性ジャーナリストの七割以上が「ネット上の暴力」を経験

ジャーナリストがSNS上でののしられ、脅される。フィリピンのマリア・レッサにとどまらない。ユネスコ（国連教育科学文化機関）はジャーナリストに対するこうしたネット上のハラスメント被害を「ネット上の暴力」とし、二〇二〇年、世界一二五カ国のジャーナリスト計九〇一人（うち八〇％が女性）に調査をした。その結果、女性の回答者の七割以上が「ネット上の暴力」を経験し、その中の四割以上が現実の暴力や性暴力の予告だった。現実社会で攻撃されたりののしられたりし、それが既に受けた「ネット上の暴力」と関係していたというケースも多い。「ネット上の暴力」を受けたジャーナリストの二六％はメンタルヘルスに影響を受けてしまった。

そして「ネット上の暴力」の結果、ネットから一時的に撤退した人は一八％、ネット界の一部からは完全撤退した人が一一％。放送に出ないようにする、記事の署名を外すなどの対応策を求められた人は九％、仕事を辞めた人も四％——。これらはいずれも、ネットでのハラスメントによって報道が抑圧されたことを意味する。ほかにも、アメリカの「国際女性メディア財団」などによる二〇一八年の調査でも、女性メディア関係者の三七％が攻撃を受けて「報道するのを避けた記事がある」と答えている。

つまり、ネットで叩かれるかもしれない報道テーマ——日本なら、例えばいわゆる従軍慰安婦問題など——をやめようかという苦悩だ。苦労して取材、報道した末に、それに見合わない侮蔑や脅迫を受けるのではつらい。そうやって消えた企画がどれぐらいあるのかは不明だ。「何が報道されなかったか」は、分かりようがない。

日本では、新聞労連（日本新聞労働組合連合。新聞社、通信社の労働組合で作る）の二〇一九年の組合員アンケートの中に同じようなことが表れている。「記者の活動への誹謗中傷などで不安・不満に感じていること」を一二三六人に尋ね、回答者の一八・九％は「SNSを活用した取材について攻撃されること」を挙げた。

SNSに災害や事件、事故の現場動画や目撃証言が投稿されれば、記者はそれらをより多くの市民に届けるため、報道でも利用させてほしいとSNS上でお願いしたり、取材を要請したりすることがある。すると、無関係なSNSユーザーからその記者めがけ、罵詈雑言が投稿される現象のことだ。記者への精神的ダメージも深刻だし、それ以上に、記者に協力しようとした人まで嫌な言葉の投稿に巻き込んでしまうこともあり、あまりに申し訳ないため、こうしたやり方を躊躇する記者もいる。

「記者会見での質問の様子をネット上で監視・攻撃されること」は二二・九％ある。記者会見は広く公共公開であるべきだから、本来は市民の目が入ることに意味があるが、記者がネット上で中傷を受ければ、質問すべきことを質問しない萎縮が生まれかねない。そうなると、疑問が放置され、市民への情報は細る。

こんなリスクに、どう対応すればいいのか。

「ネット上のハラスメントに利用できる記者の私的情報をSNSに出さない。いざというとき相談・通報する相手をあらかじめ考えておく。実際にハラスメントを受けたら、何より大切なのは記録を残すこと。性的な内容の嫌がらせであれば記録自体も苦痛だが、せめてスクリーンショットをとる。ブロックやミュートをし、問題人物のメールは専用フォルダに自動選別で落とす。まだ不十分なら上司に通知する。さらには警察に相談する。法律の枠組み、法的に取れる手段は次のようなものがあり、具体的に取るには……」

こんな概要のガイドブックをまとめたのはイギリスの「メディア弁護士協会」だ。イギリスのすべての大手新聞・出版・放送メディア企業の社内弁護士で作る組織で「表現の自由や、情報・意見・知識を受け取り伝える権利を推進し守るために作られた」という。ガイドブックの執筆を担当したのはメディア法の専門家ベス・グロスマン弁護士。同書が紹介する対策戦略は、報道の自由を守る国際人権法のエキスパートで、記者を支えてネット上ハラスメントと闘ってきた経験が豊富なキーリン・ギャラハー弁護士が提供している。

日本にはこうしたガイド、こうした弁護士組織がないが、今すぐにでも必要だと感じさせる。

日本のSNSは他国より匿名利用率が高い

日本のSNSで特筆すべきなのは、その匿名性の高さだ。オックスフォード大学ロイター・ジャーナリズム研究所による二〇二二年国際調査で「先週一度でも使ったSNS（通信アプリ含む）」を世界四六の国と地域で調べたところ、世界的によく使われ二五カ国で一位となった

SNS上に自分の実名を公開したり
書き込んだりすることへの抵抗感

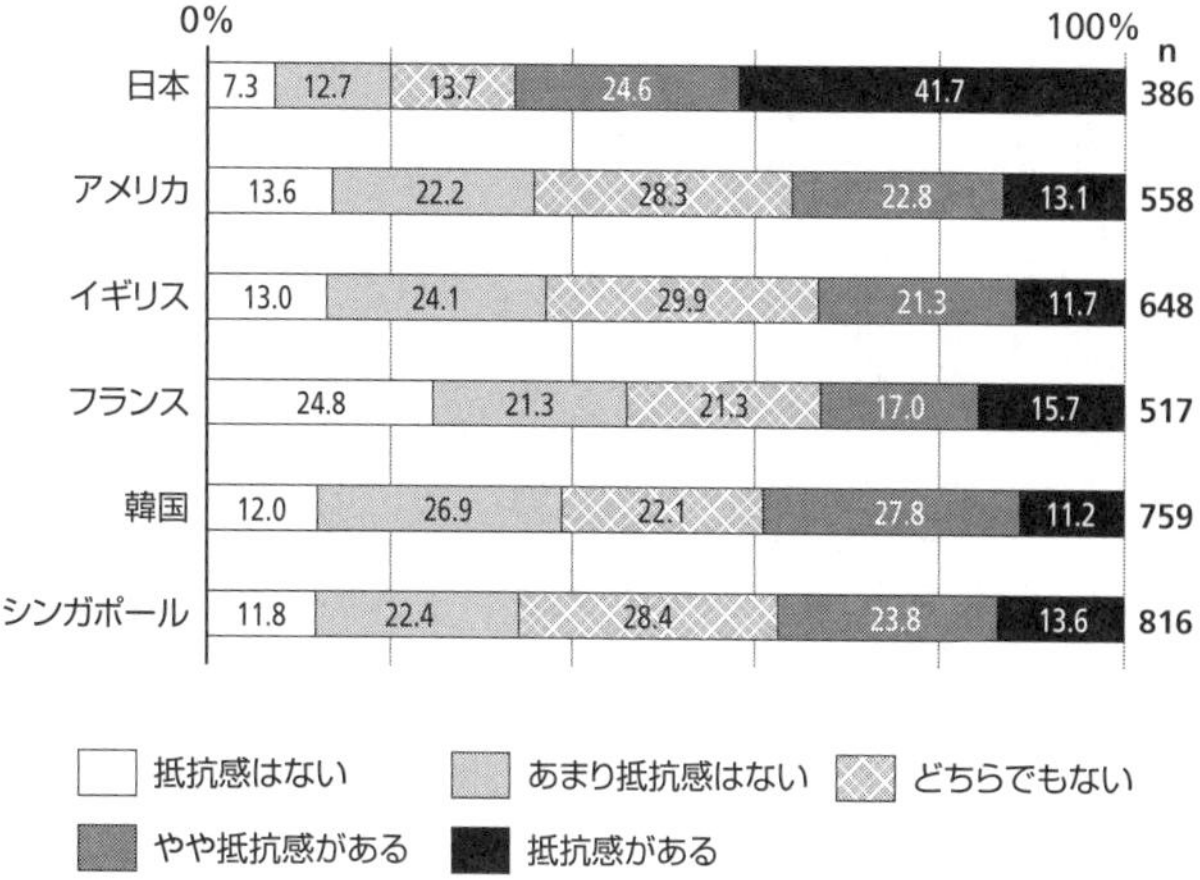

ツイッターの実名・匿名利用

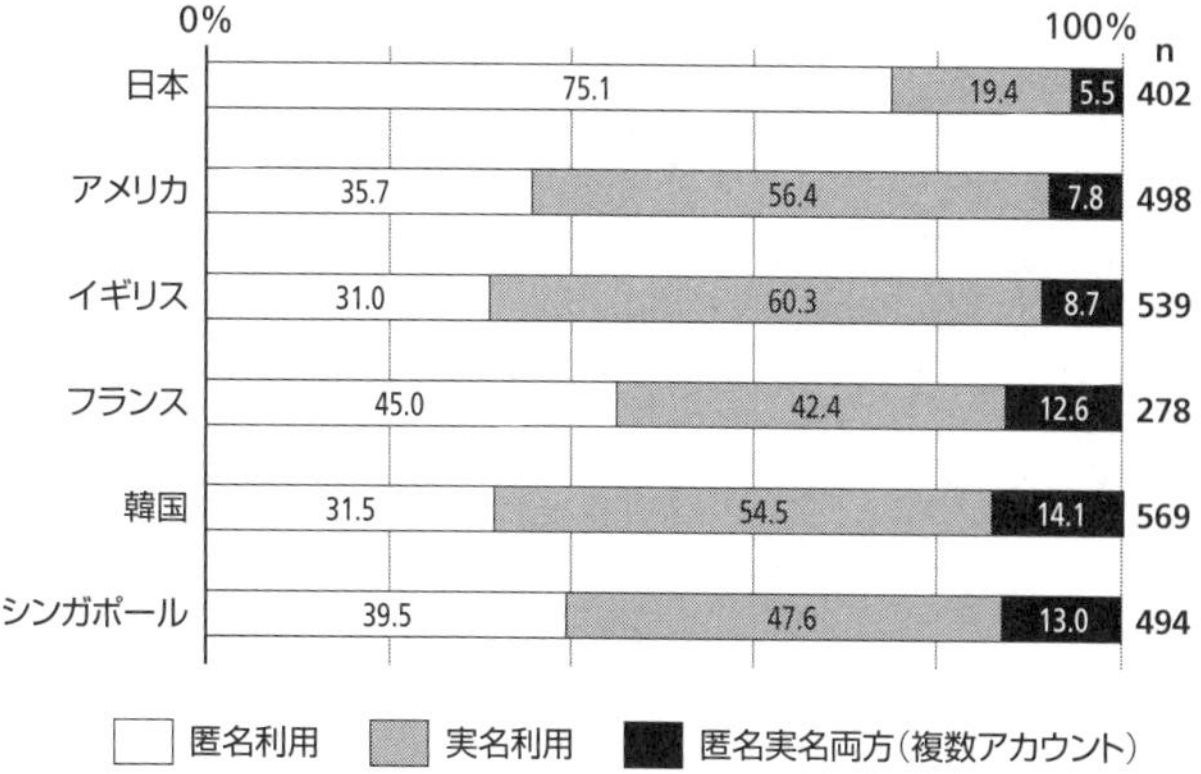

総務省「ICTの進化がもたらす社会へのインパクトに関する調査研究」（2014年）より

のは実名制のフェイスブックだった。日本ではフェイスブックは四位で、二位にツイッターが入っている。この調査で、ツイッターがフェイスブックより上位だったのは日本だけだった。

そのツイッターだが、二〇一四年の総務省調査によれば、日本、アメリカ、イギリス、フランス、韓国、シンガポールのツイッター利用者の中では日本だけ突出して匿名利用が多かった。米英韓とシンガポールでは匿名利用率はいずれも三割台、フランスが四五％だったのに対し、日本は七五％にのぼった。ＳＮＳでの実名公開に抵抗感を持つという人も日本だけ六六％、他国は三割台だった。

日本財団が二〇二〇年に国内の一七～一九歳を対象にした調査で「ＳＮＳに本名を載せていない」人は六二％。一方、ＳＮＳでの誹謗中傷の原因として「ＳＮＳの匿名性」を六割以上が挙げた。

つまり、他国に比べ著しく匿名利用率が高く、実名を出したくないという気持ちが強い一方、そうはいっても匿名発信は無責任で問題を引き起こしていることも感じている、ということになる。私の大学での講義で、学生から「高校時代にＳＮＳを実名で使っていたところ教師からやめるよう指導された」という話を聞いたことがある。社会に声を発信するのだからと、誠意ある態度や熟慮した内容にするよう助言するのではなく、身元を明かさないようにという指導だ。ＳＮＳには未成年者が犯罪に巻き込まれるリスクもあるだけに、高校の先生が指導した立場も非常に分かる。だが同時に、社会に対し堂々と名乗って自分なりの意見を述べることは、高校生が若い市民として振る舞うかけがえない体験でもあったはずである。

第四章

民主主義を運営するのに必要な情報

1　歴史の主人公は市民

記者が公務員に秘密を漏らさせる取材は犯罪か？

世の中のルールはどう決まるか。法律を国会が作るだけではない。どんな法律にも「適用できるか微妙」や「違反すれすれ」という事態は起きるので、そのたびに裁判で争われる。それらの判決例も、判断するためのルールになる。つまり国会で作ったルールの適用範囲を精密に決めるため、法廷でもルールが作られる。だから裁判所の判断のことを英語では「コート・ルーリング」（ルーリングとは「ルール作り」や「統治」の意味）と呼ぶ。

例えば、国家公務員が仕事で知った秘密を他人に漏らせば罰せられる――と、国家公務員法が定めている。秘密を漏らすようそそのかした者も同じく罰せられる。だが、その秘密が市民にとって重大な問題だった場合はどうか。そしてもし、政府が市民に重大な問題を隠していた場合、それを公務員から聞き出して――つまり秘密を漏らさせて――報道した記者は罰せられるのか。

その罪に問われた記者が毎日新聞の西山太吉だった。一九七二年のことだ。西山が暴いた政府の秘密は、この年に沖縄がアメリカから日本に返還される際、日米両政府が裏約束、つまり密約を結んでいたことだ。市民にはそんなことは一言も言っていない。

沖縄を日本に返すとき、米軍用地を元に戻す費用はアメリカが負担する、というのが日本政府の表向きの説明だった。米軍の後始末にかかった費用はアメリカに払わせる、つまり日本から見れば筋を通させたということになる。ところが、本当はこの費用四〇〇万ドルを、日本がこっそり肩代わりすることになっていたのだ。「アメリカが負担する」というのはうそだったのである。

この密約を、西山はある秘密情報源から入手した外務省秘密文書で確認した。秘密情報源を隠すためもあって、西山はやや間接的な表現で記事にしたが、政府の態度は変わらない。文書を野党社会党の衆議院議員、横路孝弘に提供したところ、横路が国会で暴露し、大問題になった。

大問題になったのだが、政府は国民をだましたことを反省するのではなく、情報を漏らした犯人――つまり西山の秘密情報源――捜しに血道を上げた。すぐに外務省職員の蓮見喜久子が西山に文書を提供していたことが判明した。西山と蓮見は秘密を不正に漏らしたとして国家公務員法違反罪で逮捕、起訴される。

蓮見は一審で罪を認め有罪が確定したが、西山は報道の自由を主張し無罪を訴えた。国家公務員法には、国家公務員が秘密を漏らす行為について「そそのかし又はそのほう助をした者は、それぞれ各本条の刑（筆者注：秘密漏洩そのものをした公務員と同じ範囲の刑罰）に処する」と、はっきり書いてある。このケースだと、蓮見は国家公務員として、秘密を漏らしたのであり、西山は国家公務員の蓮見に秘密を漏らさせた。となると西山の行為は「そそのかした」のであり、法律に触れるように見える。

だが一方で、これを犯罪として処罰するとなれば、政府のうそを市民に知らせる他の報道もやはり犯罪になり、行えなくなる。憲法が定める言論や出版（報道）の自由は絵に描いた餅になる。憲法上、こんな処罰をしていいのか。市民のために政府の不正をただした記者を処罰するなど、独裁国家のやることではないか。国家公務員法にはそんな目的まで含まれているのか。

西山の裁判は最高裁判所まで争われた。一九七八年、最高裁が出した結論は「通常、記者が取材で公務員に秘密を漏らすようそそのかしても、違法とはならない」。記者が取材の上で公務員に秘密を漏らすようそそのかしたとしても、それは通常は「正当な業務行為」だと認め、それだけでは罪に問えないと判断した。「正当な業務行為」とは、例えば医師が手術をしたり、歯科医師が歯を削ったりすることが、そこだけ見れば身体を傷つけることであったとしても、通常は傷害罪に当たらないようなものだ。

最高裁はこの判断の中で、次のような意味のことを言っている。市民が国政の運営者となるのが民主主義だから、市民に政治の真実を知らせることは民主主義の肝心かなめとなる。だから報道の自由、そのための取材の自由は憲法が定める表現の自由の中でも特に大切だ。そして、取材行為は国家秘密を探ることでもある。そう考えると、国家公務員に取材で秘密を漏らさせるようにそそのかしたからといって、直ちに違法とするようではおかしい――と。

「取材行為は国家秘密を探ることでもある」とはつまり、報道というからには、国家が公表を禁じた秘密をも探り、明らかにしなければ、市民への責務が果たせない場合があると明確にしたわけだ。秘密を暴くことは例外なく一切禁止なら、政府が「書いていい」と許可したことしか報道できない。報道が許可制になれば、「伝えていい」「伝えてほしい」ことを伝える広報や宣伝と変わらない。

しかし報道は、市民みんなのために大切なことなら、関係者の意向と関係なく伝えなければならない責務を負う。しばしば当事者の痛みや不快感ももたらしてしまう。反響から混乱や動揺が起きることもあり得る。それでもその情報によって世の中の真相が市民に分かり、克明で検証可能な記録が残され、問題の改善ができる。その点でも、痛みを伴う医療行為と少し共通点があるかもしれない。

ただし、最高裁は西山太吉を有罪とした。通常の取材なら公務員に秘密を漏らさせても罪に問えない。だがこの件に限っては西山の取材手法は通常のやり方でないと最高裁は判断したのだ。実は、西山と蓮見は男女関係にあった。最高裁は、それを西山が利用して情報を提供させ、蓮見の人格を踏みにじったと指摘し、これでは正当な取材活動とは言えず、例外的な違法行為に当たるというのだ。

西山は例外的な有罪になったとはいえ、この最高裁判断の柱は、記者が取材で公務員を説得し、秘密を漏らさせようとすることは通常は違法行為ではないという大原則だ。これは記者を守るルールというより、むしろ市民を守るルール、民主主義を守るルールだ。秘密を漏らさせる取材が犯罪になるのなら、記者はそんな取材に挑戦しなければ自分の身は守れる。だが市民はそれによって隠された真実を知ることが困難になる。そして民主主義を運営するための情報を失う。そうならないためのルールだ。

この裁判の間もその後も、当の日本政府はこの密約の存在を否定してきた。他方アメリカ側では二〇〇二年に密約の存在を示す文書が公開された。アメリカも、密約の存在は国家秘密にしていたが、いったん秘密になったものも三〇年後には原則公開して市民の判断を仰げるようにする仕組みがアメリカにはあるためだ。日本政府が密約の存在を公表するのは、民主党政権に交代後の二〇一〇年になってである。

小学生の訴えが国籍法を変えた

西山太吉の裁判により、報道目的で記者が公務員に秘密を漏らさせても、国家公務員法違反の罪には問えないというルールが確立した。この裁判は「外務省秘密漏洩事件」ともいうが、「西山事件」の方が通りがいい。市民の情報の権利を守るこのルールは、市民・西山太吉が裁判で闘ったから生まれたことがよく分かる。そういう、闘った市民がいたことも明確になる。

そんな市民の権利の裁判を、小学生の身で闘った女性がいる。

三好真美が日本政府に対して日本国籍を求める裁判を他の子どもたち八人とともに東京地裁に起こしたのは二〇〇五年四月、七歳のときだった。当時はフィリピン国籍。外国人と日本人の両親を持つ子どもは通常、日本国籍を得ることができるのだが、親が婚姻届を出していない場合は日本国籍を認めないと、当時の国籍法は定めていた。この規定が壁になったのだ。家族や結婚の形も変わりつつあるこの時代に、無意味な区別による不当な差別ではないかという問題がこの裁判で取り上げられた。

三好たちの裁判も最高裁まで争われた。二〇〇八年六月、最高裁大法廷の判決は「この子どもたちが日本国籍を得られないのは不合理な差別で、法の下の平等を定めた憲法に違反する」と断じ、訴えていた子どもたち全員に日本国籍を認めた。

それだけではない。この判決は問題となった国籍法の規定を「憲法違反」と判断した。法令が憲法に違反するという、戦後八件目の判断だった。この重大な判決を受け、国会は国籍法を改正した。子どもたちの訴えが、人権をより尊重する新たなルールを作ったのである。

三好は小学生の原告として法廷に立ち、考えを裁判官たちに述べた。訴えを他の市民にも理解してもらう機会を増やそうと、他の原告である子どもたちとともにメディアの取材を多く受けた。裁判の節目で記者会見も開いた。

三好は振り返って話す。「最初は自分のため、自分が『日本人になれる』という大ざっぱな認識だった。学年が上がるに従って、そう五、六年のときには『周りの人たちの人生を変えることができるかもしれない』と気付いた」。日本が国際化して、同じような立場の子どもたちが増えている。自分の訴えがその人たちの力になれるかもしれない。そう感じていた。

だがメディアで注目されると、子どもの社会でいろいろなことが起きる。

「同じ学年の子がテレビとかを見てて。報道で、名前も『タピル・マサミ』(当時の姓名)って出る。学校では日本名を使っていたので『タピルー』って、『お前テレビ出てたじゃないか、何してるんだー』って冷やかしてくるんですよ。ただ、そこは何を言われようが頑張ろうというのはありました」

メディアの取材の中には、乱暴なものもあったという。

「友達と下校中に公園を通るんですが、そこにテレビの取材陣がいる。私を撮ってたんですよ。でも親には話してたのかな……。裁判が終わって（日本国籍が認められたことに伴う）その手続きのために役所に行ったときも、手続きの様子を撮ろうと受付の台の上に登ってまで撮影して『こわ』って思いました。役所の人に申し訳なくて」

同じ記者として身が細る思いがする。強引だ。現場で記者はいつもエレガントではいられないが、かといって特に子どもが絡むときは注意も配慮も要し、取材中にも特に気を配るべきだろう。聞いていて申し訳ない話だ。

それでも三好は報道各社の取材に広く応じた。

「私が発言しなければ、何かを伝えないといけない——と、小学生ながら思っていました。大人じゃなくて子どもの言葉が必要なんだろうなと。小学校三年生のころは何を言ったらいいか分からないから、弁護士さんと相談して手のひらにまとめたものを書いて話しました。五、六年になると考え方を持つようになってきたので、自分の発言で伝えられたと思います。私の言葉がピックアップされて、とても驚きました。将来の夢を聞かれて、当時空手をやっていて警察官になりたかったのでそう話すと、それが新聞に『将来の夢は警察官』みたいにすごく大きく書かれて。ふとした私の言葉をピックアップしてくれるんだ、すごいなあと思いました」

幼くとも一人一人市民として、子どもたちが闘った裁判だ。英米なら裁判には原告と被告の名前がつくのが普通だから、「マサミほか対日本国訴訟」「マサミ・ケース」などと呼ばれるはずだ。新しい法律は、立法に貢献した市民の名で呼ぶこともあるため、判決を受け改正された新しい国籍法は「マサミ・ロー」（マサミ法）と呼ばれる可能性だってありそうだ（いずれも、他の子どもたちとのバランスはあるので、あくまで、例えば、だ）。ルールを作った市民のことをみんなが知るように、歴史に残すのである。

だが、日本の法律書は英米とかなり異なり、裁判名からも、裁判の内容からも市民名は取り除かれていることが多く、この裁判も「国籍法違憲訴訟」と記されている。

ミランダが勝ち取った権利だから「ミランダ・ルール」

「ミランダ・ルール」はアメリカ人の間でよく知られている。アメリカ映画で刑事たちが容疑者に手錠をかける際に「君には言いたくないことを言わない権利がある。君が話したことは法廷で君に不利な証拠となることがある。弁護士を依頼する権利がある……」などと告げる場面がある。ミランダ・ルールで義務づけられているからだ。黙秘する権利や弁護士をつける権利があることを容疑者に知らせていなければ、容疑者が何を供述しても、アンフェアに集めた違法証拠とみなされ、有罪の立証に使えない。そういうルールだ。

このルールを定めたのが「ミランダ対アリゾナ州」裁判で、アメリカ連邦最高裁が一九六六年六月一三日に出した判決だ。この裁判を闘った人物、アーネスト・ミランダのことだ。一九六三年の拉致・レイプ事件で、ミランダは被害者の証言によって容疑者となり、二時間の取り調べの後に犯行を自白したが、そのとき取調官は黙秘する権利や弁護士をつける権利などを知らせていなかった。裁判ではそのことが問題になり、結局連邦最高裁は、捜査はミランダの権利を損なっており、この自白を証拠として用いることはできないとして有罪を破棄した（その後、やり直し裁判で別の証拠に基づき有罪確定）。

容疑者に黙秘権を告げるなど、余計なことに聞こえるかもしれない。だが容疑者の中には無実の人が必ずある程度含まれている、やっていない犯罪なのに、厳しい取り調べでやけになり、「自分がやった」とうそを述べる人が本当にいることは、数々の冤罪《えんざい》の実例が示している。逆に真犯人であったとしても、取調官があまりに一方的な力を持てば、容疑者としてはただ取調官に迎合する。取調官の求めるように供述することと、真実を供述することとは別物だ。捜査側の誤解がそのままにされ、捜査側が知らない事情は解明できず、捜査は真実からかけ離れる。

市民の権利と裁判の公正を守るルールを勝ち取ったアーネスト・ミランダとミランダ・ルールの名はアメリカの市民たちに広く知られ、アリゾナ州政府の公式ウェブサイトには詳しい説明が載っている。そのサイトには資料としてこの事件と裁判の数々の公文書——例えば、逮捕された際に警察が作った逮捕手続き書類も、住所、生年月日、妻の名前、身体的特徴、容疑罪名などが書かれたそのままの原本が掲載され、誰でもダウンロードし、歴史を学ぶことができる。

ミランダだけではない。カンザス州のオリバー・ブラウンが闘った「ブラウン対トピカ教育委員会」裁判は、一九五四年、公立学校を黒人用と白人用に分けることを人種差別として禁じるルールを作った。オハイオ州出身のジム・オーバーグフェルたちが訴えを起こした「オーバーグフェル対ホッジス」裁判は、同性カップルにも結婚する権利があるというルールを二〇一五年に作り、アメリカのすべての州で同性婚が認められることになった。

第二次大戦中には「ヒラバヤシ対アメリカ合衆国」裁判が起きた。開戦後、アメリカ政府は日系アメリカ人を差別し、収容所に入れるなどした排除政策をとったが、これに日系二世のゴードン・ヒラバヤシ（日本名・平林潔）が抵抗し、逮捕され、闘った裁判だ。連邦最高裁は一九四三年、戦時には仕方ないとしてヒラバヤシの主張を退け有罪としたが、ヒラバヤシは一九八七年に再審無罪を勝ち取った。没後の二〇一二年にはオバマ大統領から「ゴードンのような市民のおかげで、アメリカはより良い国になった」と勲章を受けた。

ミランダ、ブラウン、オーバーグフェル、ヒラバヤシをはじめとする多数の市民たちが裁判を起こし、闘い、その結果より良いルールが作られてきたのだ。

「裁判所が作ってくださる」日本のルール

日本でも、市民の権利に関するルールが裁判を通じて少しずつ作られてきた。闘った市民の名が記された裁判名もあるにはある。

西山事件………市民に真実を伝える取材報道の権利を争った毎日新聞記者の西山太吉
朝日訴訟………生活保護額が人間の生活としてまともかを争った肺結核患者の朝日茂
レペタ訴訟……日本の裁判所で傍聴者がメモを取ることを禁じたルールの撤廃を求めたアメリカ人弁護士のローレンス・レペタ
永山事件………一九歳で四人を殺害した加害者として、死刑制度の是非やその適用の在り方を争った永山則夫

とはいえ、裁判名に市民の名前を冠するケースは日本ではめったにない。世界で日本だけの夫婦同姓強制制度は憲法違反という訴えの裁判（二〇一五年、最高裁が合憲判決）は歴史的裁判だが、原告のリーダーの名で「塚本協子訴訟」「塚本対国訴訟」と呼ばれることはまずない。「夫婦別姓訴訟」だ。

犯罪捜査ターゲットの車に警察がＧＰＳ（現在いる場所を人工衛星の技術で割り出す装置）を極秘に取り付けたことに対し、最高裁は二〇一七年、プライバシー侵害であり、取り付けるなら事前に裁判所の令状を得なければならないと判断した。警察の捜査に歯止めをかける一方でＧＰＳ捜査の新ルールも定め、アメリカのミランダ判決の役割と似ている。この裁判の被告人岩切勝志は、窃盗の罪を認めながらも警察の手法に納得できず、「捜査にもルールがあるのではないか」と裁判を闘った。だがミランダと異なり「岩切事件」「岩切ルール」とは呼ばれ

ない。「最高裁判所のGPS判決」だ。

市民の名前でなく「GPS訴訟判決」という呼び名だと「裁判所が作ってくださったルール」との考えが先に立つ。日本でルール作りに対する敬意を向けられるのはお偉い最高裁裁判官たちであっても、岩切ではない。

歴史は誰が作るのか。日々の事件や裁判の当事者、社会問題に声を上げる市民たち、一人一人が歴史の主人公だ。ジャーナリズムはそれを日々記録する。だから報道の中心には、たくさんの市民たちがいる。

2 事件・事故報道に人名はいらない？

「ニュースは歴史の第一稿」

「ニュースは歴史の第一稿」という。英語圏では非常によく使われる言葉で、ワシントン・ポストの社主だったフィリップ・グレアムが一九六三年にスピーチで「ジャーナリズムは歴史の第一稿」と述べたことでも知られる。なるほどニュースは最新情報だが常に過去のことだ。そして歴史研究にとって報道記事は重要史料になってきた。ジャーナリズムは「ジャーナル」（日々の記録）からなっている。報道はその時代の人々に奉仕するだけではない。後世の人々に対して正確な記録を残す役割も大きい。正確で具体的な記録があるから、人々は過去に何が起きていたかの手がかりを得られ、検証ができる。

社会も歴史も、作っているのは私たち多様な市民だ。ニュースの中にいる普通の市民たちこそ、社会と歴史の主人公である。セレブとエリートだけが登場するニュースはあり得ない。

一方で一九八〇年代以後、日本では「事件・事故報道に人名はいらない」として「匿名報道」を求める主張もある。容疑者や被告人は、裁判を終えて有罪が確定したわけでもない段階なのに、名前を報じられ不利に取り扱われるのは良くないし、一方、被害者にしてみれば、犯罪被害について報じられるのはさらなる苦しみということにもなり得る。そして実名がなくてもニュースは伝えられるというなら、それでいいのではないかという論だ。

かつては「報道被害」を懸念する法律関係者などの間で議論されることが多かったが、デジタル時代にはＳＮＳの「ネット世論」を舞台に、既存メディアへの疑念の一環として「実名報道批判」が広く行われる。

事件・事故を報じる際に、権力や財力、影響力を持たない容疑者や被害者の名は伏せる国も、ドイツやスウェーデン、韓国など、一部に存在する。だが、イギリス、アメリカ、カナダなど英語圏をはじめ、世界的には実名を市民に知らせる報道が普通といえよう。

英米の報道に触れれば、日本よりもはるかに実名が重視されていることが見てとれる。アメ

"All the News That's Fit to Print"

The New York Times

Late Edition
Today, sunshine, increasing clouds, shower, high 69. **Tonight,** mostly cloudy, mild, low 62. **Tomorrow,** cloudy, showers, thunderstorms, high 77. Weather map, Page B10.

VOL. CLXXI .... No. 59,435 © 2022 The New York Times Company NEW YORK, THURSDAY, MAY 26, 2022 $3.00

Identifying the Victims
On Tuesday, a gunman killed 19 children and two teachers at Robb Elementary School in Uvalde, Texas. These are 17 of the 21 victims. As of Wednesday, not all the names of the deceased had been released.

Nevaeh Bravo / Jackie Cazares / Makenna Lee Elrod / Jose Flores / Ellie Garcia / Uziyah Garcia / Amerie Garza / Xavier Lopez / Jayce Luevanos / Tess Mata / Annabelle Rodriguez / Lexi Rubio / Jailah Silguero / Eliahana Torres / Rojelio Torres / Irma Garcia / Eva Mireles

FACES OF A TOWN'S OVERWHELMING LOSS

Shooting Fuels Parents' Fears All Over Again

This article is by Kimiko de Freytas-Tamura, Chelsia Rose Marcius

People Killed by Active Shooters At Schools Each Year Since 1970
Data is of grades kindergarten through 12 in the U.S. Totals do not include assailants who died in the attacks named here.
More graphics on Page A14.

30 KILLED / 25 / 20
Sandy Hook 26 killed / Parkland 17 killed / Uvalde, Texas 21 killed / Columbine

Gunman Spent Over an Hour Barricaded Inside the School

This article is by Jazmine Ulloa, J. David Goodman, Nicholas Bogel-Burroughs and Julie Bosman.

UVALDE, Texas — The gun- tomed to outside attention, and a raw renewal of the national debate over firearms legislation and the stupefying tally of gun vio-

リカ・テキサス州ユバルディのロブ小学校で二〇二二年五月二四日、サルバドール・ラモスという一八歳の男が児童一九人、教師二人を射殺したときも、ニューヨーク・タイムズが一面トップに犠牲者のうち身元が確認できた一七人の名前と顔写真を大きく掲載し、その死を悼んだことはその一例だ。

　重大事件に限らない。ニューヨークで二〇二二年四月、地下鉄構内で果物売りの女性が警察に無許可販売を注意され、一時手錠をかけられ連行された。この女性マリア・ファルコンは数時間の取り調べの後、後日出頭するよう命令を受けた上で釈放されたのだが、無許可の果物売りという程度のことにやりすぎではないかと議論になり、報道もされた。

ファルコンの名前はニューヨーク・タイムズにも、雑誌ニューヨーク・マガジンにも、地元テレビにも出たし、釈放後でもこれは変わらない。周囲の人が撮った連行場面も報じられている。写真や映像には日本独特の、手錠にぼかしを入れる処理はない。路上販売で生きる人たちの人権擁護団体「ストリート・ベンダー・プロジェクト」も、逮捕・連行場面の動画をそのままツイッターに投稿した。こちらは、報道つまり市民のためというよりはファルコンのため、支援目的の情報発信だ。

二〇二〇年四月には、アメリカ・バージニア州のリバティ大学が二人の記者を告訴し、不法侵入容疑の逮捕状が出されるという事件があった。新型コロナウイルス感染症対策で部外者立ち入り禁止の大学構内に入り、取材をしたというのだ。逮捕状が出たのはニューヨーク・タイムズと契約しているフリー写真記者ジュリア・レンドルマンと、調査報道メディアのプロパブリカ記者アレック・マクギリス。一方、同大学の代表者ジェリー・ファルウェル・ジュニアはトランプ支持のキリスト教保守派として知られる。

この記者たちは、コロナ禍のさなかに大学が対面授業を再開した問題を取り上げ「リバティ大学が授業再開、コロナ懸念も再燃」という記事で報じた。その後に逮捕状が出たのだった。記者に逮捕状が出たことを伝える各メディアの報道で、その記者レンドルマンやマクギリスの名は明記されている。契約記者に逮捕状が出たことに対するニューヨーク・タイムズのコメントも掲載された。

「コロナ禍のさなかにリバティ大学が授業再開を決めたことの報道が気に入らないからといって、問題を刑事事件にしてフリーランス記者を追い回したことに、私たちは失望している」と大学を明確に批判した。

「ご迷惑をおかけして申し訳ない」などというものではない。

この事件を伝えるアメリカのメディアでは、二人の記者レンドルマンとマクギリス、大学代表のファルウェルは中心人物として常に名前が記されていた。ニューヨーク・タイムズはレンドルマン本人の手記まで掲載した。「リバティ大学からの逮捕状——私への」という短いエッセイだ。逮捕状が出たことが報道されてから、友人たちに励まされたこと、ツイッターで「逮捕状が出たということは（記者としてむしろ）正しいことをしたということだ」と書いてくれた人がいたこと、だが他の大多数はSNS上で自分の仕事を「フェイクニュース」呼ばわりし、大量の嫌がらせメールが届き、眠れず、ジャーナリズムの仕事を辞めようかと思ったことも率直に書いている。実名を報道されたことがどうという記述はない。

記者団体の「プロフェッショナル・ジャーナリスト協会」（SPJ）バージニア州プロフェッショナル支部も、女性記者の権利を訴える団体「ジャーナリズムにおける女性のための連合」（ＣＦＷＩＪ）も、非難声明では二人の名を明記し、後者はレンドルマンの写真も掲載した。ゆるいウェーブがかかった長い髪、眼鏡をかけて微笑んでいる。さらに、コロンビア大学の有力ジャーナリズム批評誌コロンビア・ジャーナリズム・レビューも、ジャーナリズムと記者を守る立場の詳しい論考を載せ、その中で、二人の記者の名前を出している。市民に支援を呼びかける側もまた、いやそういう立場だからこそ、どの記者に何が起きたかを市民に明確に伝える。

記者が権力により窮地に立たされたとき、逆に「どの記者がやられたのか」が分からなければ、市民にとって「どういう記者か」「なぜなのか」を自分なりに判断することも議論することもできなかったはずだ。

ところで、この大学の代表者で記者と対立したジェリー・ファルウェル・ジュニアは、メディアの自由の基礎となるアメリカ連邦最高裁判決「ハスラー・マガジン対ファルウェル」事件の当事者ジェリー・ファルウェル・シニアの息子である。報道や情報の自由をめぐる問題との縁が深い人ではある。

父の死を「新たに一人死亡」にはさせない

記者たちがこんな問題に巻き込まれたそもそもの原因、新型コロナウイルス感染症の大流行をめぐるニュースもまた、「誰が」を大切にして報道するのがアメリカやイギリスだ。

「アイビー・メアリー・ピットマン、九七歳　六人きょうだいの末っ子で、大戦中はボールベアリング工場で働き、空襲警戒主任だった。『一六歳だった彼女が人々に消灯をどう指示し、みんなそれにどう従ったか、思い出話をするのが好きだった』と息子のボブ・ピットマンは言う。……二月下旬、コロナ関連の症状が出始めた」

「デービッド・グルームブリッジは四月にペンドルの自宅で五六歳で亡くなった。バーンリー警察捜査課の刑事で、二〇〇八年には（街頭で、居場所のない若者や困窮者に声をかけて支援する）ボランティア団体の『ペンドル・ストリートパスターズ』設立に協力した」

　このように伝えるのはイギリスの新聞ガーディアン。学者や学生に愛好者が多いリベラル系高級紙だ。コロナ禍の初期に「人生、やることはまだ多かったのに——イギリスのコロナ犠牲者たちのこと」という特設ページをウェブサイトに設けた。亡くなった人たち一人一人のプロフィールと追悼の言葉、写真が並ぶ。特集の説明文にはこうある。「このひどい死亡数は、単なる統計ではない。そこにある一人一人に、伝えるべき名前、人生、思い出、物語がある。ここに記すのはその一部である」

　アメリカ・フロリダ州の有力紙、タンパベイ・タイムズもコロナ禍の早い段階で「コロナウイルスに命を奪われたフロリダびと千人の人生」という特集をウェブに出した。「千の名前。

千の物語。これらの短い追悼記事は、新型コロナウイルス感染症で二〇二一年九月下旬までに亡くなった五万一〇〇〇人のごく一部でしかない。……二〇二〇年四月以来、タンパベイ・タイムズの記者たちは追悼文を一つにまとめてきた。一人一人の人生をささやかなスペースで知るとき、コロナ禍がもたらした痛みはますますはっきりする」

　アリゾナ州の伝統ある新聞アリゾナ・リパブリックが一面に大きく掲載したのは、一人の市民マーク・アーキーザのコロナによる死と葬儀、遺族たちの思いを伝える記事だった。娘のクリスティンの言葉が大きな見出しになっている。「私は彼を単なる数字に、新たに一人死亡というだけにさせない」

　クリスティンはこの一面記事で、アリゾナ州知事ダグ・デュシーのずさんなコロナ対策を厳しく批判した。「父の死は、やむを得ないものでは全くありませんでした。もし保健衛生を最優先するための即時、迅速な対応を私たち（の社会）が取っていたなら、起きなかったはずのものです」と述べ、有色人種の健康が特に危険にさらされ「憤っている」と述べた。そして訴えた。

「この州の、そしてこの国の、すべての人たちに、ご自分のストーリーとともに社会に出てくるよう呼びかけたい。私たちが失った命が顔と名前を持つよう、そしてデュシー州知事のみならずトランプ政権もこの危機を危機ととらえ、これ以上の死が防がれるように」

これが話題になり、クリスティンはあちこちのメディアから取材を受けた。クリスティンが訴えたのは、主に保守派政治家がコロナ禍の深刻化の中でも生ぬるい対策にとどまっている問題だった。父マークという普通の市民の犠牲がきっかけとなり、コロナ対策の在り方を考える市民の議論が起きたのだ。

コロナ禍の死者数は急増する。アメリカの犠牲者が一〇万人規模になる中、ニューヨーク・タイムズは二〇二〇年五月二四日付の紙版の一面を全部つぶしてコロナの犠牲者一〇〇〇人の氏名と簡潔なプロフィールを一挙掲載した。デジタル版ではそれらの人々、追悼文と、一〇万人という数の多さをグラフィックスで表現している。「数字が明らかにするのは、いかに多いかだけだ。国中の追悼の言葉から集めた思い出は、失ったものを私たちに教えてくれる」という。

名前と顔のある生身の人が記事に出てくるからこそ

日本では、一般市民のコロナの犠牲者のことはなかなか報じられない。社会全体に、声をかけ合って議論するより「そっとしておく」「関わらないでおくことが配慮」という空気は強く、メディア各社もそれを踏まえることになる。遺族や感染者本人の協力を得ながら実名顔出し取材に取り組むところもあるが、大きな扱いとは言いがたく、日本のコロナ関連ニュースは数字や統計、政府や自治体の「発表もの」が目立った。

そんな中でも、人々にコロナの危険性と、これは自分事だという危機感を伝えたのは一人の人間の死だった。コメディアン志村けんである。東京女子大教授・橋元良明らのグループによる調査では「新型コロナウイルス感染症に対し、身の危険を強く現実的なものとして認識した出来事」として志村けん死去を挙げた人が六割を超えた。「政府による緊急事態宣言」「東京都の一日の感染者１００人越え」が二位、三位にくるがいずれも四割程度で、志村の死は突出している。

統計や数字ではなく実在の人、実名がある人のことが人の心に突き刺さり、揺り動かす。深く考え、行動する。

実際、カナダの調査報道の教科書『ディギング・ディーパー』にこんな項目がある。

> **人間を描け**
>
> 最高のジャーナリズムは常に、人々《ピープル》に関してのものだ。堅いデータや文書に裏付けられた報道だからといって、そこに人々《ピープル》が出てこなければインパクトも背景事情も欠くものとなり、読んでも学術研究のようなものになってしまう。もし徹底的に取材しているのなら、話を聞いた人たちは多数にのぼり、全員を記事に入れるなど到底不可能になっているはず

だ。記事のさまざまな要素を代表し、そして事実と数字とに命を吹き込んでくれる人を選ぶこと。その人たちが、あなたの記事の主役だ。事実や数字はその脇役となるべきだ。

これは調査報道の教科書だ。権力や大企業の不正を暴き市民に奉仕するジャーナリズムの真髄だ。それが「報道には人が出てこなければならない」「でなければ学術研究のような記事になる」と警鐘を鳴らす。人の姿、名前も顔もある生身の人が記事に出てくるからこそ、人はニュースに関心を持ち、記事に引き込まれる——そう説く。

本当だろうか。データや論理がしっかりしていることこそ説得力の源であって、人の姿や実名など本質から外れ、不要ではないか。

この問題を検証したアメリカの実験がある。実験では、複数のグループに対し、飢餓や貧困に苦しむ子どもたちの支援団体「セーブ・ザ・チルドレン」に最大五ドルの寄付を求める。

その説明の中で、一つのグループにはデータや統計を詳しく示す。

マラウイの食料不足で子ども三〇〇万人に影響が出ています。ザンビアでは雨不足でトウモロコシの生産が二〇〇〇年比四二％減。ザンビア人三〇〇万人が飢餓に直面しています。アンゴラ人四〇〇万人（人口の四分の三）が自宅から避難せざるを得なくなりました。

> エチオピア人一一〇〇万人以上が緊急食料援助を必要としています。

という具合だ。もう一つのグループは人の姿にフォーカスを当てる。少女の写真を見せ、

> ロキアはアフリカのマリに住む七歳の少女で、ひどく貧しく、深刻な飢えに苦しみ、餓死の危険さえあります。その人生は、あなたの金銭寄付で良い方向に変わります。あなたの支援、他の思いやりある寄付者の方々の支援により、セーブ・ザ・チルドレンはロキアの家族や他の地域の方々と協力して、彼女に食べ物、教育、また基礎的医療と衛生指導を提供できます。

と訴えた。

結果は明白だった。ロキアの顔写真を見、物語を読んだグループは、データを読んだグループに比べ、二倍の寄付をした。研究グループの一人、オレゴン大学のポール・スロビックは、読んだ人とロキアとの心の結びつきが、行動する動機になっているとの分析を示す。

日本国内ではどうか。子どもの境遇が人々を動かし、法律を変えた事件を見れば、例えば二〇二〇年に親の体罰を禁止した改正児童虐待防止法がある。それぞれ親の「しつけ」名目の暴

力で子どもが命を奪われる悲惨な事件が続いたことから生まれた法律だが、そのきっかけになったのは船戸《ふなと》結愛《ゆあ》、栗原《くりはら》心愛《みあ》という二人の女の子の死だ。

ひどい虐待を受けて、それぞれ五歳と一〇歳という年齢で命を奪われた二人の名前と顔は報道を通じて社会に知られ、議論が起き、人々はより良い法律作りに立ち上がった。アメリカのように法律に人名をつける社会なら、改正児童虐待防止法は「結愛・心愛法」と名付けられ、彼女たちへの追悼と敬意を表しただろう。

匿名報道が発する「出る杭は打たれる」というメッセージ

日本のジャーナリスト伊藤詩織は二〇一七年五月に性暴力被害を記者会見で訴えた。その行動の決心は、他の市民の姿を見たことで生まれたと、著書『Ｂｌａｃｋ Ｂｏｘ』（文藝春秋）で振り返っている。

近年、被害者の遺族が実名、写真を公開して事件を語るニュースが報じられた。二〇一五年、過労自殺に追い込まれた電通社員の高橋まつりさん、二〇一六年、いじめにより自殺に追い込まれた中学生の葛西りまさん。

最愛の人を失うという大変つらい経験をした後に、このようなことが二度と起こらないようにメディアの前で話をすると決めた遺族の気持ちは計り知れない。

そこに「被害者のＡさん」ではなく、実際に名前と顔がある人間として登場したことが世の中に与えた影響は大きかったであろう。

そして、このご遺族の行動を見て、私も「被害者Ａ」でいてはいけないと、はっきり思ったのだ。

伊藤が記者会見で自分の経験を話すことに、周囲は反対したという。報道されて本人に直ちに実益があるわけではない。一方、「知られる不利益」は心ない中傷や偏見など、具体的に想像がつく。善意から反対したことは確かだろう。

だが、社会に自分の経験や考えを訴える人がいなかったら——。市民は仲間の市民の声を知ることがない。入ってくるのは政府など「官」のお触れだけだ。伊藤の経験のように、市民の訴えが次の市民の勇気に連鎖しない。善意が沈黙を促し、沈黙が沈黙を生む。あるいは匿名で訴えるなら、趣旨は通じても同時に「出る杭は打たれるということだろう」という印象もまた強く与えてしまう。

市民が沈黙していても政府はうまくやってくれる、市民の声などなくてもエリートが適切に考えて社会を引っ張るというエリート主義の考え方ならそれでいいのかもしれない。市民は

「お客様」として引っ張ってもらう。だが民主主義の社会はエリート主義と異なり、市民誰もが「運営側」だ。みんなが情報を持ち、意見を言い、行動して世の中は動く。

一人の市民が社会に向けて発言する価値、情報と意見を伝えるそんな価値が、日本ではひどく低く見られているのかもしれない。

これに関係しそうな統計もある。

「ほとんどの人は信頼できる」と考えるかどうか、各国の市民一〇〇〇人ずつに調査し、「そう思う」「ややそう思う」「あまりそう思わない」「そう思わない」の四択で答えてもらったところ、「そう思う」はアメリカ二〇・八％、イギリス一八・〇％、ドイツ一九・六％に対して日本は二・八％しかなかった（総務省の二〇一八年調査）。

これほどまで市民不信が強ければ、自分についてのつらい経験を他の市民に聞いてもらったり、みんなの前で話して議論してもらったりなど、考えにくいかもしれない。それよりも、私たち市民は一部の為政者、エリートに引っ張ってもらう「お客様」と考える方が安心な気がしてしまいそうだ。

伊藤は同じ本で、この記者会見後に受けたバッシングについても明らかにした。「会見を経て、強く感じたことがある。それは、人はなぜ物事のメリット、デメリットばかりに注目するのか？　ということだ。私の会見に対する批判的な声を見ると、そこには『個人的なメリットがなければ、こんな行動をするはずがない』という物の見方が、はっきりと感じられる。だから、売名、ハニートラップ、政治的意図などについての憶測が出てくるのだろう」という。

伊藤は「メリット、デメリット」ばかりに注目することに疑問を示した。だがこれはむしろ「個人的なメリット、デメリット」ばかりに注目することが問題ではないだろうか。「個人的でない」メリット、つまり社会のため、不正をただし世の中を良くするため、多くの市民を信じて名乗り出、人々に意見を述べる意義だ。発言を聞いた多くの人たちはきっと発言を受け止め、真面目に考えてくれる。そして社会で議論が起き、行動が起き、少しずつ良くなっていく。そう市民を信じて言葉を出す。そんな世のため人のための期待だ。そこに市民がニュースの主人公となる価値がある。いやそもそも、ニュースというものの根本に、話を受け止める市民の良心と議論する力を信頼し、期待するという意味がある。

だが、ニュースとなるとすべて本人が言いたい、発表したいことばかりが伝えられるわけではない。事件や裁判をはじめ、大きな出来事があれば関係者の実名や写真が本人の希望とは関係なく公開情報となる。そこにはまた、別の問題と意味が存在する。

3　議論・検証に必要な「公共情報かつ個人情報」

報じる側の「責務」としての実名報道

二〇一九年七月、人気アニメーションの制作で知られる「京都アニメーション」第一スタジオ（京都市伏見区）に青葉真司という当時四一歳の男が侵入、ガソリンをまいて放火し、人気アニメを作ってきた人たちを含む社員たち三六人が死亡する事件が起きた。三〇人以上の人命が一度に奪われるという点でも、日本を代表するアニメ文化の拠点が襲撃されたという点でも、社会性が大きく、また歴史に詳しく記録されるべき重大事件だったが、会社や遺族の多くは被害者の氏名公表に反対した。一方、報道各社は通常の殺人事件と同じように、身元判明段階で犠牲者名は公開されるべきだと警察に求めた。

京都府警は一か月以上検討した結果、遺族が反対する中でも情報の「公益性」を重視して名前を報道各社に明らかにし、各社は亡くなった方々の氏名を報じた。これについては、SNS上を中心に、遺族が望まないのに情報を開示したことへの批判が多くあった。

ひどい事件の遺族に心を寄せ、その要望をできるだけ実現したいと願う。当然な、自然なことだ。自分に関する情報は、自分が望む範囲でしか公表してほしくない。これもまた自然なことだろう。

だが、例えば裁判では本人の意思と関係なく、情報が原則としてすべて公開される。裁判を非公開にすれば秘密裁判、秘密処罰を可能にし、危険すぎるため、民主国家で裁判の公開は大原則だ。日本国憲法も八二条で裁判の公開を定めている。

あるいは、不運な事情から経済的に行き詰まることは、自分の落ち度がなくても誰にでも起こり得るが、破産すれば住所と氏名が政府発行の日刊公告紙「官報」で公表される。これも、社会に散らばっているかもしれない取引関係者には必要なことだ。

また、どんなに小さな会社でも役員になれば実名が法人登記簿で公開され、代表者は住所も記載される。会社の正体が何者であるか、取引先や消費者団体がチェックできるようにする必要があるためだ。二〇一八年、この住所を登記簿で公開しないようにする変更案も検討されたが、消費者被害の責任を会社側に問う場合の必要性や、法人の背景確認情報としての重要さを指摘する弁護士会など各種団体の反対意見もあり、公共情報として公表が続けられることになった。

どれも社会に公表されたデータとならざるを得ない。「本人が開示や公表を望むかどうか」と「社会やその歴史にとって重要な情報かどうか」は全く別問題だ。また、自分に関する情報

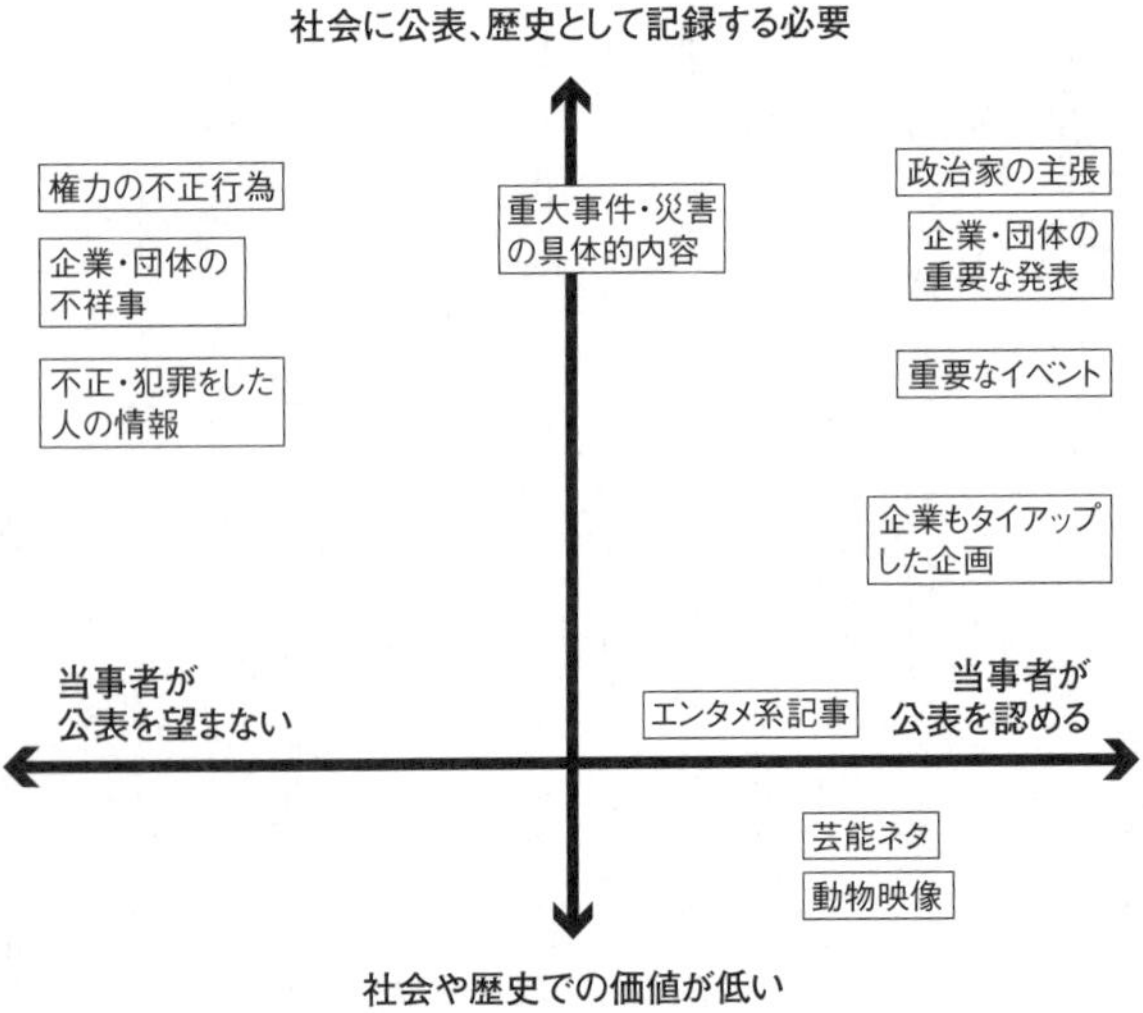

はすべて自分の所有物ということでもない。そこで「自分だったら開示されたくない」と「社会にとっては公表が必要」とが同時に起きることがある。だから難しい問題となる。

これらの情報は個人情報でもあり、かつ公共公開情報でもある。なお「個人情報」と「プライバシー」は共通点はあるものの別の概念で、「個人情報」は個人を識別でき個人に結びついた情報、「プライバシー」は私的な「秘密」であり部外者に知らせない情報を意味する。新幹線の業務用室の扉に「Ｐｒｉｖａｔｅ」と書いてあるのは「部外者立ち入り禁止の場所」という言葉の意味を示しており、個人の場所だからではない。ある人のメールアドレスが会社のものと個人のものと二種類あるとき、個人のアドレスは「プライベートのメールアドレス」ではなく「パーソナルなメールアドレス」と呼ぶ方が、英語として普通の使い方といえるだろう。

事件や事故に関連して実名を報道すれば、メディアがもうかるとみるのは単純すぎる。一般の新聞はデジタル版も含め定期購読が柱なので、何かを載せたら急に売れてもうかる仕組みではない。NHKは何を報道しようが受信料は一定だ。一方、民放のテレビは視聴率を気にするし、雑誌は毎号ごと内容によって売り上げが変わるが、今や実名情報が最初に拡散するのはインターネットで、名前を知りたいからと週刊誌を買ったり特定の番組を見たりすることは一般的ではない。むしろ週刊誌などを買って知りたいことがあるとすれば実名情報というより、突っ込んで取材した背景事情や関係者の人柄などで、「実名を書けば売れる」というようなものではない。

だから実名を報道したからといって、通常はメディア側の利益に直結するとは考えにくい。むしろトラブルや批判の種にもなりやすく、報道内容が複雑になって仕事の質量とも増え、経済的には損失になりかねない。なのに、なぜメディアが実名情報にこだわるのか。これは報道する側にとって「権利」よりも「責務」の意識に基づいていると考えた方が分かりやすく、また実態にも近い。

事件や事故において誰が被害者かが市民に明かされず秘密となると、事件の背景を調べることは警察以外には困難となる。どんな事実探求、聞き取り調査も、結局は個人にたどり着いて初めて行うことができる。京都アニメーション事件でもほかの事件でも、誰が事件の事情を直接知っているのかが分からないままだと、研究者も市民団体も記者も、経緯を聞くことはできない。また、何よりアニメを真剣に愛し、一人一人のアニメ制作者を尊敬してきた人たちを含め、この事件に真面目で切実な関心を持つ人々にとっては、「誰が殺されたのか」という具体的データに接し、そのデータを公然と語ることが事実上禁じられることになる。京アニ事件の議論は重要なピースを欠き、抽象的なものになる。

京アニ事件の場合、被害者は著名なアニメ作品の制作に関わった人たちであり、「公人」としての役割が大きい。ただ、実際にはどんな人でも社会に生き、社会での役割がある以上、誰もが少しずつ「公人」であることは、おさえておく必要がある。公人性がゼロの人など、少なくとも現代の民主主義社会にはいないと言うべきだろう。

そしてまた、例えば「被害者は容疑者とつながっていた」などという心ないデマが流されたとき、被害者の身元が明らかでなければ具体的な検証や反論は困難だ。

一九二三年、関東大震災に乗じた朝鮮人虐殺事件が起き、千〜数千人規模の朝鮮人が虐殺された（政府の中央防災会議の二〇〇八年報告書は、関東大震災の死者計約一〇万人の一〜数％がこうした虐殺の被害者としている）。だがこの「朝鮮人虐殺」を事実でないと主張する人々がいるため、ジャーナリストが当時の新聞に報道された被害者の氏名などを手がかりに資料を精査し、関連現場も訪れて丹念な分析と追跡を行い、確かに実在の被害であることをはっきりさせたケースもある（加藤直樹『九月、東京の路上で　1923年関東大震災ジェノサイドの残響』ころから）。

一九六三年に埼玉県狭山市で一六歳の中田善枝が殺された狭山事件では、逮捕、起訴され有罪判決を受けた石川一雄は無実との問題提起を受け、支援者、研究者や記者を含む多くの市民が現地調査などの検証を繰り返し行い、その中で部落差別が関係した冤罪ではないかと問う議論が今も続いている。「関東の地方都市で一六歳の女性が殺され二〇代の男が有罪になった事件」という匿名情報から、検証や調査、そして何より社会での議論が十分に行えるだろうか。

新聞・雑誌記事やニュースのアーカイブは歴史を調べる上で強力な史料として用いられている。確かに「ニュースは歴史の第一稿」だ。政府の公式文書と別に、民間の立場での目撃談、証言、意見が多様に書かれている強みがある。実名で書かれて初めて、その人物が実在したのかの確認、その人物がほかに何をしたのかなど別史料と突き合わせる検証も可能になる。匿名情報は検証が不可能で、「信じる」専用の情報になる。

実名情報が公表されることが当事者の人々の意に反し、深く傷つけることはしばしばある。情報を悪用してハラスメントや差別をする人も出てくるかもしれない。こうした問題の面を否定してはならない。報じる側の責任は重く、記者も編集者もそのことを深く思い知る必要がある。

それでも一方で、報道が実名を記録し、社会に共有し、市民による議論と検証の機会を保とうとする責務は極めて大きなものになる。

だからなのだ。私がアメリカで厳しい指摘を受けたのは——。

報道倫理とは「迷惑をかけない」こと？

二〇一七年六月、私はアメリカ「調査報道記者編集者協会」（ＩＲＥ）の大会に参加した。独自取材で権力の不正や社会問題を暴く調査報道の手法を記者同士で教え合う講座が二〇〇ほども開かれる。情報公開制度の使い方、インタビューのコツといった基本の講座や「官庁契約データから汚職を見つける方法」とあわせて、私は「倫理の専門家に質問しよう」のセッションに参加した。報道倫理を語り合う場だ。一〇人程度で自由に話す和やかなセッションで、座長はアメリカを代表するジャーナリズム研究教育機関「ポインター研究所」のクリステン・ヘア。ミズーリ州の地方紙記者として活躍したジャーナリストだ。アメリカの記者たちの意見や質問に混ざって、私も切り出した。

「日本ではレイプの生きている被害者は匿名で報道するが、最近は匿名の領域が広がっており、レイプ殺人で亡くなった人も匿名化するようになった——」

アメリカでは、レイプ殺人であっても亡くなった被害者は実名を報じる。非常に痛ましい事件ではあるが、亡くなっている以上はその人の今後の人生にダメージを与えることにはならないという事情を踏まえ、情報開示を重視するからだ。日本もかつてはそうだったが、二〇一〇年代ごろから性犯罪事件の場合は亡くなった人でも匿名が多くなった。

「それは倫理に反する」

ヘアが間髪を容れず言った。厳しい口調で、私は驚いた。

彼女が「倫理に反する」（アネシカル）と批判したのは実名報道ではない。匿名報道が倫理に反するという。三か月後、日本での研究会でこのことを報告しようとヘアに詳しい解説をメールで求めた。以下はそれを受けて私が研究会で報告した内容に基づく。

ヘアはまず、事件のニュースで関係者の実名を明記することを「ジャーナリズムは、誰かの言葉で有名になったように、歴史の第一稿だ。私たちのコミュニティで起きたことの、リアルタイムの記録なのだ」。そして、「何が起きたかをみんなに知ってもらうことが私たちの仕事」だと説明する。

これは加害者の実名も念頭にありそうで、実際にヘアは「罪を犯した人の名を呼びたくないという文化習慣を理解することも大切だ。読者に対して、このこと（筆者注：加害者の名前を出すこと）は不快なことは分かると認め、だが大切なことなのだと述べるやり方もある」ともいう。

この説明は、むしろ人の名を挙げることは栄誉や誇りとなるから犯罪者の名を呼ぶべきでない、という文化や考え方を踏まえているようだ。ニュージーランドで二〇一九年、イスラム教礼拝所が銃撃され約一〇〇人が死傷した事件で、同国首相のジャシンダ・アーダーンは銃撃犯について「私は今後一切、この男の名前を口にしない」と宣言し「皆さんは、大勢の命を奪った男の名前ではなく、命を失った大勢の人たちの名前を語ってください」と訴えたこともその一例だろう。

問題の、生きているレイプ被害者やレイプ殺人被害者の場合についてヘアは、「複雑」だと述べ「アメリカの多くのニュースメディアは、同意がない限りレイプの被害者（筆者注：生存している被害者）の身元は特定しない。理由は、私の考えでは、その人にさらなる被害を与えてしまうという理解からだ」とした上で、殺人事件の場合は別だという。「私たちは殺人事件の被害者は身元が分かれば実名を報じる。加害者もそうだが、このことは私たちのコミュニティで起きたことであり、みんなに知ってもらうことが私たちの責務なのだ」

確かに、オレゴン州の元大物州知事ニール・ゴールドシュミットが過去に一四歳のベビーシッターの少女と性関係を持っていた問題を暴いて二〇〇五年にアメリカ最高のジャーナリズム賞、ピュリツァー賞を受賞した地元紙ウィラメット・ウィークは、この報道では元少女を仮名としたのだが、二〇一一年に彼女が死亡すると実名に切り替え、エリザベス・リン・ダナムという名前を明らかにして長い訃報記事を出した。遺族の意向とは関係ない判断だ。この経過は前著『グローバル・ジャーナリズム　国際スクープの舞台裏』（岩波新書）に記した。

同紙だけでなくコロンビア大学のジャーナリズム批評誌コロンビア・ジャーナリズム・レビュー二〇一六年春号もダナムの名を明記しているから、ジャーナリズム界全体として「固有名詞をきちんと記録する」という社会への責務を意識しているといえるだろう。

ヘアはまた、メディアがこのように規範となる考え方を文章にまとめる意義についても指摘した。「評判の悪い判断をする場合にも、それを支える規範があるなら、あなた方はもっと自信を持てる」。社内用のマニュアルという意味ではなく、根本理念として社会に説明できる規範を持つことは、なぜこれが社会に大切だと考えるかをメディアが説明する責務の面でも大切なことだろう。

むろん、アメリカと日本では文化や背景も違う。むやみにアメリカのメディアのやり方が正解というのも思考停止になる。ヘアにしても「複雑」なことだと言う。地域により、人により、違う考え方があることだって踏まえているのだろう。ただ、このように確信するアメリカ・ジャーナリズムの立場があるということだ。

ヘアに、匿名報道は「倫理に反する」と指摘され、私は考え込んだ。

報道倫理は誰への倫理か？

報道倫理は日本では「迷惑をかけない」「報道対象を傷つけない」ことを重視しがちだ。つまり報道対象への気遣いや敬意だ。とても重要だし、記者は常におのれの加害性を思い知るべきだ。

だが、記者は誰のために働いているのか。

オウム真理教という宗教組織は一九九五年に東京の地下鉄に猛毒のサリンをまく「地下鉄サリン事件」を起こした。一四人が死亡、六〇〇〇人以上が重軽症となった大事件だ。その六年前の一九八九年には教団批判をしていた弁護士坂本堤と妻子の三人を殺害する「坂本堤弁護士一家殺害事件」を起こしていた。坂本弁護士一家殺害事件は、オウム真理教の岡崎一明ら六人が未明に坂本弁護士宅に押し入って殺害したのだが、玄関の鍵がかかっていなかったために侵入できたと実行犯らは述べ、これは岡崎たちの裁判の判決でも事実と認定された。

だが坂本弁護士の妻都子《さとこ》の父親、大山友之は「鍵のかけ忘れは絶対にない。あり得ない」と考えてきた。堤はオウム真理教との厳しい闘いの中、教団に攻撃される危険を認識しており、そのため都子も強い緊張感をもって生活していた。だから大山は玄関の鍵をかけ忘れるなどあり得ないと確信していた。

裁判の判決で「鍵がかかっていなかった」と認定されたとき強いショックを受け、そのときの心を「私は何度も訴えてきたはずです。鍵は閉まっていたはずだ、と。裁判というものは、真実をあからさまにし、その上で人を裁くものだと信じてきました。それが、このような断定をなされることに、私の全てを否定された気持ちでした」と著書『都子聞こえますか オウム坂本一家殺害事件・父親の手記』（新潮社）に記している。

このようなことはほかの事件でも起こり得る。事件によっては、経緯の中に被害者にとって不名誉なこともあり得る。容疑者や被告人の言い分が、被害者の尊厳に関わる内容をはらむこともあるかもしれない。そんなとき、もし仮に被害者や遺族の側が「事実と信じられないし、また被害者側を傷つけるものであり、報道すべきでない」と申し入れをしたら――。実際に、遺族側の弁護士から報道機関がそのような申し入れを受ける例も近年生まれている。だが、事件の要素を、遺族の大切な意向だから、傷つけたくないからと市民に知らせず、歴史からも隠すことが、報道倫理上、できるだろうか。

こんなケースの場合、すべきことは情報を消し去ることではなく、取材対象から独立した立場で真実を伝えるよう努め、だからこそまた遺族側の声も十分に、丁寧に、バランス良く伝え、市民の判断や議論のため最善の材料を提供することだろう。記者は「何かを伝えない」ことではなく「より良く伝える」ことで社会に貢献することが本来の役割と言うほかない。

公職者・権力者まで匿名で報じられることの危険

事件、事故、災害などは社会的な出来事だ。私的に完結するプライバシーということはできない。そして社会の歴史となる。公共性の高い情報として、克明に検証可能な記録がなされる必要があり、その中で「誰が」もまた、そんな基礎的な公共情報とならざるを得ない。また「個人情報」や「プライバシー」という考え方の対象は生きている個人であり、亡くなった方は通常、含まれない。

アメリカやイギリスでは、事件や事故で誰が死亡したのかは公開の公共情報（パブリック・インフォメーション）とされ、これらを公表する警察発表文はウェブサイトに掲載されることも普通にある。こうした公開の公共情報は会社の役員名や土地建物の所有者名などを記した登記簿、議会の議事録、公開裁判の記録などと同様、通常、本人の意向とは関係なく、誰が知っても、伝えてもいいものとされる。個人名を含む場合、先に述べた「個人情報かつ公共情報」になる。こうした公共公開情報である上に立って、誰が死亡したのかという報道も普通に行われる。報道機関がことさらに秘密を開示し実名を報道するというのではなく、本来公共公開情報であるものを公共に向けて報道するという整理になる。

英米にせよ日本にせよ、逆に、公共性の高い情報でありながら当事者の「何を報道してほしいか、ほしくないか」の要望に従って報道するかどうか決めるという考えを突き詰めれば、それはジャーナリズムというより当事者のために知らせる広報活動になっていく。「本人や遺族が望んだ場合に限り実名を報道する」という発想の背後には、姿勢を間違えればジャーナリズムをジャーナリズムでなくしてしまいかねない深刻な問題も潜むことになる。

取材に応じる際に匿名を条件とした人の場合はどうか。もちろん、いったん合意した取材条件は守る責任がある。この本で既に触れた「秘密情報源」だ。ただ、匿名で証言するということは発言責任を問われずに済むということでもある。証言内容が無責任、不正確になったり、勝手な世論誘導に悪用されたりの危険もある。匿名証言はできる限り避け、原則は出典明示が報道のルールなのはそのためだ。例外の秘密情報源は、報復や処罰の恐れがある内部情報提供者、証言で差別・偏見を受けそうな人など、今後の人生に影響が大きいケースに限られる。そして、匿名報道は「出る杭は打たれる」という強いメッセージも同時に発してしまう。

記者が取材を申し込んで、匿名が条件だと言われたら、その人はあきらめて実名ＯＫな別の人を探すというのが英語圏のメディアの常道だ。説得したり他の人を探したりする手間を惜しんだ安易な匿名・モザイク報道をすることは、前例を作ることになる。それが増えて普通になれば、実名顔出しで、一市民として発言をする人がますます減るという悪循環に陥る恐れがある。公然とものを言うことがはばかられる社会を、皮肉にもメディア自体が作り上げてしまう。

それどころか、日本では権力や経済力、影響力ある人物の報道までも、なぜか匿名になることがある。この現状は大変危険だ。

例えば、捜査機関の問題だ。大阪地方裁判所は二〇二一年一〇月、不動産会社プレサンスコーポレーション創業者の山岸忍に無罪判決を言い渡した。山岸はその二年前に大阪地検特捜部の捜査を受け、業務上横領の罪で逮捕、起訴され裁判になっていたのだが、この捜査に問題があったと判断されたのだ。

特捜部の捜査では、山岸の部下や取引先の取り調べにより「山岸も横領行為をＯＫしていた」という内容の供述を引き出していた。これが真実なら、山岸もまた横領に関わったことになる。

ところが、裁判では「この供述は無理な取り調べによるもので、事実を正直に話したものとは信じられない」という判断になった。裁判で山岸の弁護側は、検事たちは部下たちの取り調べで大声を出したり、脅したりしたと訴えていた。そうだとすると、この無罪判決が指し示すことは、検事が乱暴でずさんな捜査をし、関係ない山岸を罪に問うという問題を引き起こした――ということになる。

山岸は無罪確定後、検察との対決に立ち上がる。問題の取り調べを行った二人の特捜検事、田渕大輔と末沢岳志のやり方は違法だとして、裁判を起こしたのだ。捜査機関の過ちや権力濫用の疑いが持ち上がった深刻なニュースといえる。

ところが主要な報道を見る限り、メディアは田渕や末沢の名を明記していない。田渕や末沢にも言い分も名誉もあるから、彼らに取材し、その言い分や有利な事情を伝えることは大切だ。だがそれと、「誰が」という肝心のポイントを消し去ることは全然別の問題だ。批判を受けている特捜検事たちが誰であるか伝えないのでは市民による検証も監視も不可能になってしまう。

二〇二二年一月に沖縄市で一七歳の男子高校生のバイクが巡回中の警官と接触し、高校生が右眼球破裂の大けがをして失明した。高校生側は「警棒で殴られた」、警官は「バイクを止めようとして右手がぶつかった」と述べ、警官の警棒から高校生のＤＮＡが検出された。警棒による打撃を受けたことが疑われる。実際には現場で何が起きたのか。

ここでも、この事件が起きた段階では警官や高校生の身元は報じられず、詳しい分析も検証も市民にはできない。警官が誰であるかが分からないと、警官の功績も異動経過も分からず、背景を論じる手立てが乏しい。発表された範囲で信じるだけだ。警察官へのネット上を含めたバッシングの恐れは問題だが、それならバッシングこそ問題にすべきで、そのためおおもとの基本情報まで市民から奪うのは本末転倒だ。市民が適切に論じる力を伸ばしていけないし、そもそも市民に基礎的な公共情報を伝えないジャーナリズムは、歴史の第一稿の役割を果たしきれない。

あるいは、安倍晋三が首相だった際の「桜を見る会」問題だ。「桜を見る会」は毎年、首相が公費を使い、花見に各界の功労者を招く。ところが安倍は首相当時、各界の功労者ではない自分の後援会員も多数招待した。その前夜には後援会員の夕食会をホテルで開き、その費用の一部には安倍の政治資金が用いられた疑いが持たれた。

この問題で重要な役回りだったのは、後援会代表で安倍の公設第一秘書だった配川《はいかわ》博之である。政治家の公設第一秘書は国家公務員特別職で、国から給与が支払われ、議会制民主主義の根幹を担う大切な公職だ。ところがこの問題の報道では「第一秘書」とだけ、匿名で報じられる期間が長く続いた。謎の「第一秘書」の名が配川博之であることを各社が報じるようになったのは問題の最終段階、二〇二〇年一二月二四日に東京地検特捜部が捜査の結果として配川を略式起訴したころだった。

配川の公務と関連し、プライバシーとは到底言えないこの問題を匿名化して報じることがなぜ正当化できるのか。アメリカのポインター研究所のクリステン・ヘアなら「それはもっと倫理に反する」と呆れたのではないだろうか。

「何となく匿名」ともいうべきこんな匿名報道が、近年増えている。匿名報道は書かれた側のダメージ軽減というより、何といってもメディアが苦情を受けるリスクが減るから、報道現場はその方がかなり気は楽だ。多少の事実関係の間違いがあっても、匿名記事なら当事者も大目に見てくれるかもしれない。逆に、詳しく伝え、記録する責務から逃れるから楽なのだともいえる。
テレビでも、モザイクや、「クビシタ」（インタビューを受ける発言者の顔を写さず、首から下だけ）映像が極端に多いのが、他国と比べた日本のテレビの特徴といえる。

これらに対し二〇〇九年ごろには、検証されない無責任発言を誘発し、また人間としての存在が感じにくくなると批判する議論がメディアにも現れ、二〇一四年には、放送の質を高めるための自主組織「放送倫理・番組向上機構（BPO）」の中の「放送と人権等権利に関する委員会」委員長の三宅弘弁護士が「安易な顔なしインタビュー」を避けるよう求める声明も出した。だが状況は変わらず、日本型「モザイク」「クビシタ」映像はむしろ定着しつつある。

記事の中で官庁や企業のコメントが「総務課の鈴木ゆり課長補佐は『ルールに基づいた措置だった』と話している」ではなく「総務課は……」「総務課の担当者は……」のような名なしコメントで済ませるケースも多くなっている。組織としての正式見解の話者が不明ではコメント内容への責任を誰が負うのか不明確で、あいまいな「連帯責任」のようだ。外国報道機関の日本に関する記事はこういうコメントでも実名にこだわるので、比べると差がよく分かる。

戦後、静岡県内で発生した三件の強盗殺人事件、「幸浦事件」「二俣事件」「小島事件」の捜査で拷問や脅しを用い、無実の容疑者にうその自白を強いたとして批判を受けた静岡県警警部、紅林《くればやし》　麻雄の名が今も司法史に残っているのは、当時の報道が捜査の現場責任者であった紅林の実名をきちんと報じていたからだ。

これも紅林の親類にとっては今なお重い負担だろう。その場合に必要なことは紅林麻雄をフェアに論じること、親類への不当な差別とは闘うことであり、この刑事の名前を司法史から削除することではない。誰かの都合で歴史の一部を削除するのは独裁者が行うことだ。

「何となく匿名」がはびこる今、日本のジャーナリズムは歴史として意味のある記録を残せているだろうか。

BBCはなぜ「忘れられる権利」と闘うのか

だが、ネット時代になるといったん報じられた内容は瞬時に拡散し、消すことは困難になる。しかも、人名で検索すれば過去記事がすぐ発掘できる。これでは、知られたくない過去、思い出したくない過去がいつまでも自分につきまとうことになる。特に、過去の過ち——犯罪歴なども含め——を常に知られることが、例えば犯罪に関わった後に刑に服し、償いを終えて社会復帰しようとしている人、あるいは逮捕はされたが処罰は不必要だと釈放された人、犯罪ではないトラブルに関わって報道されたがその後解決した人、などのその後の暮らしの平穏を妨げてしまうことに、強い心配の声がある。

スペインのマリオ・コステハ・ゴンザレスもそんな一人で、一九九八年に妻との共有不動産が官庁により競売にかけられた際の公告が新聞ラ・バンガルディアのデジタル版に残り、自分の名前でグーグル検索するといつまでもこの記事が出ることに困った。ゴンザレスの申し立てを受けたスペインのデータ保護庁は、ゴンザレスの名前で検索してもこの記事が検索結果に出ないよう、措置をグーグルに命じた。グーグルはこれを不服として裁判で争い、スペインの裁判所を経てヨーロッパ司法裁判所にまで持ち込んだのだが、同裁判所はこの措置命令を支持する判断を示した。二〇一四年五月のことで、これが「忘れられる権利」として世界的な話題になった。

これに対しては、ヨーロッパのメディアもアメリカのメディアも、問題視した。そもそも、デジタル版だからといって、記事の内容を改変すること自体、歴史修正に道を開くことになりかねず、強い警戒感が持たれる。イギリスの新聞ガーディアンの読者担当、クリス・エリオットはゴンザレスの「忘れられる権利」判決の約一年前から警告していた。

「ガーディアンの過去記事は歴史の記録。削除、修正の要求すべてを受け入れれば過去記事集はエアロ（内部が気泡で満ち、穴だらけのチョコレート）のようになってしまい、信用を失う」

過去の歴史を誰かの都合で改変することは、独裁者が行ってきたこと。いったん公共公開のものとなった記録をいじることへの恐れが強い。それもあり、エリオットは例えば、過去の小さな犯罪で就職が妨げられるということで削除要請がある場合、それは受け入れるべきではないと指摘する。もし、逮捕のあと起訴されなかった、あるいは無罪になったような場合、逮捕の記事を削るのではなく、逮捕の記事にそのことを付記するべきだと説く。

イギリスの公共放送BBCはもっと徹底している。裁判所が「忘れられる権利」を認め、グーグルで検索しても表示できなくしたBBCの過去記事について、それらを一覧できる独自ページを作ったのだ。見れば、確かにあまり大事件ではない逮捕や裁判の記事が多い。こんなことをしたら、むしろその記事が目立ってしまう。苦情も来そうだが、『忘れられる権利』は歴史修正への一里塚」との立場に立つなら、これがBBC流の闘い方ともいえるのだろう。

裁判所が「忘れられる権利」を認めたこれらの記事を、BBCのようなメディアがアップし続けることは法的に許されるのか。実は裁判所の命令はあくまでグーグル検索に対するものだ。スペインのゴンザレスの裁判でも、認められたのはグーグル検索では表示されないようにする措置で、メディアそのもののウェブサイトやアーカイブから過去記事を消す要求までは認められていない。

検索エンジンではなく、報道メディア自体が情報を記録し、市民がその情報を得る道に関しては、裁判所は閉ざさなかったとみることもできる。ただし、過去記事そのものを修正して匿名化したり、削除したりするよう求める動きはなくなっていない。

こうした動きに対し、二〇二一年一月にはメディアや人権に関する一五の団体・専門家がヨーロッパ人権裁判所に対し、連名で意見書を提出した。意見書は、グーグル検索結果に表示しないようにするだけでなく過去記事そのものが匿名化されてしまえば、過去記事を活用して不正行為の背景や社会問題を調べる調査報道記者や市民団体の活動ができなくなること、これらの活動に法的トラブルの恐怖を常に与えることになること、過去記事アーカイブが歴史の「ゆがんだ、不完全なバージョン」になること――などを警告している。

意見書を出した一五の団体・専門家には、表現の自由を求める国際人権団体「アーティクル19」（イギリス）、国連の表現の自由に関する特別報告者を務めたアメリカの法学者デービッド・ケイ、「ゲント大学人権センター」（ベルギー）、「ヨーロッパ・プレスとメディア自由センター」（ドイツ）、「ガーディアン・ニュースメディア」（イギリス）などが名を連ねる。

容疑者実名報道は「社会的制裁」なのか

意見書を出した団体の一つ、アーティクル19のデービッド・バニサー弁護士はかつて私の取材に次のように述べた。

「できごとの大半は人名を記すことがとても重要だ。特に誰かが有罪になったという場合はそうだ。司法がオープンであることは非常に重要な原則で、誰が逮捕されたり有罪判決を受けたりしているかを知らなければ、例えば起訴されるべき人が起訴されず、間違った人が起訴されていても知ることができない。刑事司法の根幹に関わる」

だが、知られたくないことを知られることは苦痛であり、心ないハラスメントや差別をする人も現れる恐れはある。そのことを記者は思い知る必要がある。一方で、そのことから報道を「社会的制裁」とみなす向きもある。報道の本来の役割を無視した、侮辱ともいえる表現だが、少なくない人がそのように言う。

二〇二二年六月二四日、最高裁判所はツイッター上に投稿された犯罪容疑者の実名情報を削除することを認めたが、この判決理由の本論とは別に、草野耕一裁判官が「補足意見」を付け加えた。その内容は突出した「社会的制裁」論ともいえる。容疑者実名報道の機能を、①加害者に対する制裁、②更なる加害行為の抑止、③市民が他人の不幸を喜ぶため――の三点とする独特の見解で、そうなると実名情報は市民にとっては情報としての意味はない、バッシングのネタでしかないということになる。

ジャーナリズムの一つの形、ノンフィクションは日本でも世界でも知的財産となっている。ロバート・バーカイク『ジハーディ・ジョンの生涯』（野中香方子訳、文藝春秋）の主人公は中東の過激組織「イスラム国」の残虐な処刑人だ。二〇一五年にはシリアで人質となった湯川遥菜と後藤健二の殺害前、二人の間に黒装束でナイフを手に立つ映像で日本人に知られた。この「ジ

実名報道の必要性をめぐる二つの考え方

	制裁型	検証型
市民（読者視聴者）	攻撃役	検証役
権力者	監視目的だが、反感もからむ可能性	オープンな検証リソースとして記録
セレブ	「有名税」	インフルエンサーの背景検証の範囲で
容疑者・被告人	有罪確定前の報道に疑問も	無罪の可能性あるからこそ
鍵となる要素	悪質さ、社会的反感	記録・検証や議論の必要性
罪を償った後	削除の必要高まる	削除は歴史修正になり得る
同情余地ある加害者	実名報道の理由が低減	有利な点の検証にも必要

ハーディ・ジョン」がクウェート生まれイギリス育ちの移民モハメド・エムワジであり、その人生が苦難に満ちていたことを同書は伝える。

清水潔『桶川ストーカー殺人事件　遺言』（新潮文庫）は一九九九年、JR桶川駅前で大学生の猪《い》野《の》詩織が刺殺された事件を追う。猪野は元交際相手の小松和人らから執拗で残酷なストーカー行為と脅迫を受け、自宅周辺に中傷ビラを多数貼られ、家族は警察に告訴した。だが警察は動かないばかりか、告訴がなかったように書類を改竄《かいざん》し、事態を放置するうちに小松の意を受けた久保田祥史《よしふみ》が刺殺を実行した経緯——つまり、事件の責任は小松や久保田のみならず警察にも重大なものがあること——を詳述した。

リチャード・ロイド・パリー『黒い迷宮　ルーシー・ブラックマン事件15年目の真実』（濱野大道訳、早川書房）はイギリス人女性ルーシー・ブラックマンが神奈川県で二〇〇一年に切断死体で見つかった事件を描き、わいせつ目的誘拐や死体損壊・遺棄罪で有罪、準強姦致死罪で無罪が確定した織原城二とその人生、日本社会と織原の関係、警察の落ち度を詳しく検証している。

沢木耕太郎『テロルの決算』（文春文庫）は一九六〇年に一七歳の山口二矢《おとや》が社会党委員長の浅沼稲次郎を殺害した事件の背景を、山口の父晋平、兄朔生《さくお》ら家族、赤尾敏ら右翼関係者との関係も追いながら記録している。

これらを人名はじめ固有名詞を削って書いても、文章としては意味をなすだろうが、それは現実世界や史実との結び付きを切断され、記録ではなく寓話や訓話に近い存在になるだろう。「匿名でも伝えられる」のではなく「匿名で伝えられることもある」としか言えないはずである。

容疑者の実名を報じることは「制裁」だという最高裁判事の草野は、犯罪者の氏名などは「政治家等の公的立場」でない限り、事件の社会的意義に関係なく、実名はなくとも報道価値は下がらないと述べた。価値があるとすれば制裁やバッシングの意味だという。ならば、ノンフィクションに関係者の実名など固有名詞が記載されている意味もバッシングということになる。

封建時代に「悪者についてのお触れ」を出すというならともかく、今は民主主義時代だ。重大犯罪の容疑者や被告人の名前は「悪い人だから出す」のではなく、「裁判や捜査という社会的で重大なことがら」だから、社会の「運営側」である市民が、その経過を詳細に検証、議論するため、そして歴史を克明に記録するためのものだ。

実名など固有名詞は、草野のような裁判官、あるいは弁護士として、事件や出来事を法律の理論面から吟味するには不要なのかもしれない。だが、自分の仕事からは不要に思えたとしても、社会全体にも不要と断じきるのはいささか一方的ではないだろうか。

この草野の意見は「ニュースは歴史の第一稿」という、世界的な理解とは全く異なる独特なものだ。そして歴史の第一稿に「政治家等の公的立場」がある者だけが残ればいいのなら、歴史とは私たち市民の歴史ではなく、エリートだけが記録される「正史」で十分なのだろうか。

市民が知れば危ないのか、知らなければ危ないのか

国際人権団体アーティクル19のバニサーが「できごとの大半は人名を記すことがとても重要だ」と言ったように、実名情報は記録と検証のためだ。民主主義の「運営側」として議論するには、具体的情報が欠かせない。そして市民には情報を賢く取り扱い、良い議論をする力がある。それを信じるから民主主義だ。情報を得てバッシングにしか使わないと見るのはちょっとひどい愚民視だし、独裁・権威主義の政府の言うことだ。

例えば、死刑に関する情報を考えてみる。死刑は残酷な割に犯罪防止の実効性ははっきりせず、間違った裁判、不十分な裁判の結果として死刑執行してしまう危険などの議論から、世界で廃止の流れが進んでいる。

先進国で死刑を存続させているのはアメリカの一部の州と日本だけだ。日本では死刑執行は厳秘事項のような扱いで、執行予定は秘密、執行後に報道機関に「本日、誰それに対し、死刑を執行した」と発表するだけ。執行の経緯も刑場の様子も通常は一切明らかにされない。

一方、アメリカの死刑執行は予定が公表されるから、弁護側はその権利の中で対抗手段を取り、賛否の市民団体も議論の声を上げられる。弁護側の法的措置が尽き、執行されることになると、執行には記者も立ち会え、死刑囚が薬物を注射され息絶えるまでの様子も報道することができる。

これは、民主的な情報開示なのか、野蛮な公開処刑なのか。

この二つは形の上だけなら似ている。違いは形ではなく、運用者が市民に何を期待するか、市民の役割や賢明さをどう考えるかだ。「市民に知らせれば死刑囚を嘲笑しエンタメ化する」と愚民視すれば公開処刑であり、「市民が『運営側』として権力行使を監視し、その是非や問題点も議論する」と見れば情報開示である。

市民が知れば危ないのか、市民が知らなければ危ないのか。その考え方ともいえる。

実名報道を「制裁」だと言う人がいる。ネット上ではしばしば「晒《さら》し」と呼ばれる。確かに、報道や情報開示が当事者を傷つけ、その後の人生に悪影響をもたらすことがしばしばあることを報道関係者の誰もが深刻に思い知らなければならない。これは当然の倫理だ。それでも、私たちの自由と民主主義のため、「運営側」である市民に、具体的で正確な情報が知らされる必要がある。市民は知り、公然と議論できなければならない。

一方で、私たちには不当なバッシングやハラスメント、差別をする権利はない。ならば、やるべきは情報を統制することではなく、差別や偏見をなくすよう闘うことだ。私たちは情報を取り締まらせず、より大切に使える市民にならなければならない。目立たぬことを良しとし、目立つことを懲罰とみなし、「どうせ出る杭は打たれる」と冷笑してはならない。誰もが実名で生き、語れる社会にしなければならない。

理想的すぎるかもしれない。取材や報道で嫌な思いをした人、生活に支障が出ている人がいるのに、甘すぎる理想論だと言われればその通りかもしれない。インターネットとＳＮＳの罵詈雑言時代に、そんな理想はもう通用しないという見方もあろう。現実には、匿名化がやむを得ない場合も多々あることは当然だ。

だが、少なくとも「どちらが理想か」は明確にしておく必要がある。市民が情報を生かし、差別や偏見をしない社会か、平穏や秩序のため情報を統制する社会かである。

記者はなぜそうまでして、情報を伝えるのか。そうまでする責務とはいったいなぜ、何のためだというのか。

第五章　「中立」ではなく「独立」

1　助けるのか、報じるのか

「ハゲワシと少女」の写真が変えた人生

一九九三年三月二六日、ニューヨーク・タイムズはアフリカの国スーダンの内戦と抑圧的な政府、食料不足をまとめた記事を報じた。使った写真は、やせこけた子どもが地面にうつ伏せるように座り込み、それをハゲワシ（あるいはハゲタカ）が狙っている――そう見えるシーンだった。写真は大反響を呼んだ。あたかも子どもがハゲワシに襲われるのを見物しているかのようにさえ、見える写真だ。

スーダンの現状がひどいことをはっきりと伝える写真だった。人々の心を動かし、議論が起きた。写真は、翌一九九四年のピュリツァー賞を受賞する。

だが不快な写真だ。この場面で、普通の人なら助けるだろう。それなのに記者はレンズを向け、写真を撮る。いかにも冷酷だ。そうまでして写真を撮って何の意味があるのか。実際、この写真には読者からの批判も反響も大きく、掲載直後にニューヨーク・タイムズは「編集者からのメモ」という説明記事を出した。ハゲワシは追い払われ、子どもはその後無事に歩き始めたことを写真撮影者からの報告として伝えている。子どもがハゲワシに襲われる場面ではない

ハゲワシと少女（Photo by Kevin Carter/gettyimages）

し、撮影者が黙って見ていたわけでもないという説明だ。

この写真を見た日本人で、当時心臓外科医として活躍していた平林国彦はあるインタビューで打ち明けている。

> ニューヨークタイムズに掲載された一枚の写真が私の人生を変えたのです。それは当時、内戦と飢饉に見舞われていたスーダンで小さな女の子が禿鷹に狙われているように見える写真でした。（略）わたしはこの写真を見て、必ずしも自分は心臓外科医である必要はないと思いました。できれば、こういう子どもを助ける仕事がしたいと思ったのです。

平林は本当に国際機関に身を転じた。国連児童基金（ユニセフ）の職員となって、世界中の子どもたちを助けている。つまり「ハゲワシと少女」の撮影者が子どもを助けたかどうかではなく、まさにこの写真が人を動かした。そして多くの子どもたちを助ける力になっている。平林のこのインタビューが載っているのは、国連で活躍する日本人に話を聞くウェブサイト「国連職員ＮＯＷ！」だ。

「ハゲワシと少女」の写真がピュリツァー賞に選ばれたという発表があって約三か月後、この写真を撮影した南アフリカのフォトジャーナリスト、ケビン・カーターは自殺した。生活苦や、さまざまな取材現場で目撃したと思われる「殺害、遺体、怒り、痛み……」の記憶に苦しんでいることが遺書にあった。写真への反響や非難も自殺動機につながっていたのかは、はっきりしない。

世界中で報じられた、残酷この上ない写真

写真を撮るのか助けるのか。そんな葛藤の場面にいたジャーナリストはカーターだけではない。

一九六三年六月、南ベトナム（当時）はゴ・ディン・ジエム政権による仏教弾圧とその抗議で揺れていた。ＡＰ通信の記者として首都サイゴン（現・ホーチミン市）に駐在していたマルコム・ブラウンは六月一〇日夜、一本の電話を受ける。仏教寺院のメンバーからだった。この

前月、軍に殺された九人の仏教徒の追悼行事が明朝行われると伝え、そして言った。

「ブラウンさん、明日は必ず来ることを強くおすすめします。ある非常に重大なことが起きるはずです。しかしそれが何であるかを申し上げることはできません」

これを無視できるはずもなく、ブラウンは現場に行く。多数の僧たちが道路を埋め、やがて乗用車に先導されて歩き始めた。追悼行事が始まって一時間少し、午前九時一七分。乗用車が交差点で止まった。参加者たちがそれを囲む。乗用車から六〇代半ばの僧、ティック・クアン・ドックら三人が降りた。彼らは車から何かを取り出した。

燃料が入った容器だった。

ブラウンはＡＰの報道史を振り返る記事の中で言う。

「そのとき、私は何が起きようとしているのかはっきりと理解した。そして数秒後、写真を撮り始めた」

電話で伝えられた「ある非常に重大なこと」。それが目の前で始まっている。

クアン・ドックはブラウンの目の前、交差点の真ん中で足を組んで座った。

「彼はわずかに頭を下げ、他の二人の僧はガソリンを持って来て頭からかけた。……私はクアン・ドックの右側約二〇フィート（約六メートル）、少し正面寄りに立っていた。彼がひざの上でマッチをすったのがはっきり見えた。わずかな動きで、僧衣のひざのあたりに当てた。

……九時三五分には、クアン・ドックは後ろに倒れ、けいれんを起こしたように数回ける動作をした後、明らかに死亡しており、黒焦げとなっていた。だが彼はなおも炎の中にいた」

ブラウンが撮影した写真は、座って燃料をかけられているクアン・ドック、目を閉じて炎に包まれるクアン・ドック、崩れ落ちるクアン・ドック、黒く焦げ、他の僧にひざまずいて礼拝されるクアン・ドックの姿を克明にとらえている。

ブラウンは一緒にいたAPの支局スタッフ、ハ・バ・トランにフィルムを渡し、フィリピンのマニラに航空便で急送させた。インターネットどころか国際電話も未発達だった一九六三年のベトナムで、これはニュースを送る最速の手段だった。APマニラ支局からはアメリカへの海底ケーブルがあり、サンフランシスコ経由でニューヨークの本社に写真を電送できる。フィルムが現場からサイゴン支局を経て飛行場まで一時間二〇分、航空貨物でサイゴンからマニラに三時間、マニラで写真の現像、焼き付けをし、サンフランシスコへの電送に計五時間、サンフランシスコからニューヨークへの電送に二時間、ニューヨークのAP本社での編集作業に二時間、APから新聞社への記事・写真送信に二時間。計一五時間二〇分を経て、クアン・ドックの写真は六月一二日の新聞各紙に掲載された。

世界中で報じられた、残酷この上ない写真。しかし僧が体制に抗議して公道で焼身自殺をした残酷な事実を、明確に世界の市民に知らせる写真だった。アメリカのケネディ大統領は「世界中にこれほどの感情を起こした写真は歴史上ない」と述べた。

クアン・ドックの写真も、ピュリツァー賞や世界報道写真大賞を受賞した。だが人としての葛藤なしに取材できたはずがない。ブラウンは言う。

「私たちは記者《ニューズメン》である私たちの仕事をしていた。それ以上でも以下でもない」

「中立」は無責任、重要なのは「独立」

ブラウンが言う「記者である私たちの仕事」。それは「伝える」仕事だ。そして、それを「誰のために」やるのかが、ジャーナリズムと、他の「伝える」仕事とを分ける。ジャーナリズムは、取材対象から独立し、私たち市民のため、市民が社会の「運営側」として考えられる、行動できるように――それを第一の目的として行う。

この「独立」がジャーナリズムの重要なコンセプトだ。

「中立」ではない。中立となると、例えば「女性差別に賛成か反対か、中立の姿勢で報道に臨む」などというおかしな態度にさえつながっていきそうだ。それでは、市民に対しても無責任になる。

もし今、テレビの報道責任者になったとする。夕方のニュースのトップは何にするか、決めなければならない。その選択を「中立」に行うなんて、可能だろうか。

そもそも報道はありとあらゆる社会現象から何を選んで取材し、報じるかという選択を常にしなければならないのに、中立の立場で選ぶとなると——選びようがない。かといって、意見が分かれている論争、裁判などの紛争、選挙などの競争で片方だけに肩入れすれば、市民にとって議論の幅を狭め、視野を小さくする。情報がゆがみ、「運営側」としての判断を間違わせてしまう。だから英語圏のジャーナリズム議論では、ことさらに特定当事者に肩入れはしないという意味の言葉「インパーシャル」がよく使われ、無色透明な中立というニュアンスの強い「ニュートラル」よりも多く目にする。

このように、ジャーナリズムにとっては中立よりも独立がキーワードになる。権力からはもちろん、どんな取材相手からも独立を保つ。東京医大の公式な広報窓口が「把握していない」と言ったとしても、それに支配されず、取材で確実になった事実に基づき女性差別入試があったと報じたのもその一例といえる。逆に、「国民の士気」を保つよう求める軍部に配慮し、軍の発表通りしか伝えないのであれば、それは独立した姿勢といえない。

独立を保つのは、市民のための報道をするのが目的だ。取材相手に利益があるようにではなく、誰のためでもなく、市民のため、市民にとってベストな情報を提供するためだ。

先に紹介したアメリカの本『ジ・エレメンツ・オブ・ジャーナリズム（ジャーナリズムの原則）』が掲げる報道のおきて一〇カ条の二番目には、だから、次のようにある。

（ジャーナリズムの）第一の忠誠は市民たちに対するものである

報道が目指すのは取材対象の利害や、政府の利害ではない。それらも考えには当然入れなければならないだろうが、記者は私たち市民に忠誠を誓い、私たち市民にとって良い情報を提供することを目的に、働いている。

だからスーダンの「ハゲワシと少女」や、ベトナムの僧クアン・ドック焼身自殺の現場でも、記者たちは取材対象から独立した視点で、市民にしっかり事実を伝えることを第一に考えることになる。こうした非情にも見える場面は、ジャーナリズムの歴史にこのほかにも時折登場する。

一九六〇年一〇月一二日、野党社会党のリーダー浅沼稲次郎が一七歳の右翼少年山口二矢に刃物で刺された瞬間をとらえた写真がある。現場となった東京・日比谷公会堂では衆議院選挙を翌月に控え、自民党、社会党、民主社会党の主要三党首の演説会が行われていた。重要な政治イベントで、報道各社の写真記者が最前列で構えている。その眼前で起きた襲撃だった。各社写真記者たちは瞬時の判断で犯行場面を撮影する。毎日新聞の写真記者長尾靖の撮った写真は浅沼と山口の二人の表情を鮮明にとらえ、ピュリツァー賞と世界報道写真大賞を受賞した。

目の前で政治家が暴漢に襲撃されようとしているとき、カメラを向けて撮影する。ブラウンの言う「記者である私たちの仕事をしていた。それ以上でも以下でもない」であることは分かる。いや、考える以前に、反射的に撮影を完遂しようとするだろう。ジャーナリストはそれが任務だ。それでも難しい場面だ。写真なんか撮っていないで、助けるべきではなかったか。

酒井良知は当時浅沼の秘書で、この場にいた一人だ。あるとき私の取材に答え、当時の模様を振り返りながら、こうした報道陣の振る舞いをひどく非難することはなかった。

「皆さん仕事ですからね……」

と理解を示す。ただ小さく漏らした。

「あのときは思ったですね。何人かがカメラでもぶつけてくれりゃあね……」

酒井によると、山口が壇上に駆け上がったとき、酒井も浅沼を守るため壇上に向かったが

「暴漢の一人だと思われて、ＮＨＫの人何人かに止められたんです。『俺は委員長秘書だっ』と言って飛び上がったんだけど……そのときはもう刺されていたんですよ」

つまり、暴漢を防ごうとした報道陣もいたが、こちらは誤解して浅沼の青年秘書、酒井を止めてしまうという混乱だった。

六二年後の二〇二二年七月八日、奈良市の近鉄大和西大寺駅前で参議院選挙の応援演説をしていた元首相の安倍晋三が銃撃、殺害された。現場に倒れ、手当てを受けている安倍の写真を

報道各社が報じている。そんな中、毎日新聞奈良支局の久保聡による写真は目を閉じている安倍の表情も明確にとらえ、状況をはっきり伝えており、二〇二二年の新聞協会賞を受賞した。だがこれも、人が撃たれて懸命の救命作業の中で撮影したものだ。久保は、日本新聞協会の雑誌、新聞研究二〇二二年一〇月号への寄稿で次のように振り返る。

> 突然、足元から振動を感じる「ドーン」という爆発音が響いた。（略）倒れたのは安倍氏だけだった。聴衆は騒然となり、選挙スタッフが安倍氏を抱えている。「何がどうなっているのか」。私は安倍氏に向かって駆け出した。（略）最悪の予感がした。目の前で起きていることがにわかに信じられなかったが、「この状況を記録しなければ」と思った。
>
> ガードレールぎりぎりまで体を寄せ、腕を伸ばしてスマートフォンをできる限り安倍氏に近づけて撮り続けた。冷静にシャッターボタンを押したつもりだったが、手が少し震えていたのか、後で見返すと、ややぼやけている写真もあった。

緊迫した短い時間が流れる中、安倍に応援演説に来てもらっていた候補者はこの事態に泣いていたという。

> 候補者は「自分のせいだ」とむせび泣いていたが、私を見て「撮るな。人としてどうなんだ」と強い口調で詰め寄った。心情を思えば当然だろう。「記者なので」。候補者の方を見ずに答えた。陣営スタッフからも腕をつかまれたが、取材を続けた。記者として間違っていたとは思わないが、もちろん心苦しい気持ちもある。

この寄稿によると、久保はかつて大きな列車事故の負傷者救出場面を撮らず、救出を手伝い、「お前は記者なのか」との叱責を先輩から受けた経験、政務活動費の不正受給について記者会見で号泣した県議がかわいそうになり写真を撮らなかった経験もある。プロとして、あるいは人間として、記者はどうあるべきなのか。正解などない、ただ重い問いだけが続く場面ではある。

それでも、ジャーナリズムの「第一の忠誠は市民たちに対するもの」というおきてを考えたとき、久保が言った「記者なので」という言葉はすなわち、その場にいる方々への張り裂けそうな気持ちをもあえて自制し、市民のためベストな情報を届けることに徹しなければならない、という責務の表れに聞こえる。

現場で倒れている安倍の写真は教科書にも残る歴史の一つを伝え、市民の重要な記録となった。この現場を取材した各社の記者の中には、その後精神的トラウマのような症状に苦しんだ者もいると聞く。

医師でもある記者が抱えたジレンマ

一方、次のようなケースで、いくら市民のためといえ、取材相手からの独立を保てるだろうか。

二〇一〇年一月一二日、カリブ海の島国ハイチを大地震が襲った。同国人口の三%近い三〇万人超が死亡し、大きな国際ニュースとなった。近隣国アメリカからも多数の取材陣が現地入りする。その一人に、ABCテレビの医療・健康担当記者リチャード・ベッサーがいた。もともと医師で、アメリカの政府機関である疾病対策センター（CDC）の要職も務めたが、二〇〇九年にABC記者に転職し、健康や医療に関するニュースの専門記者として活躍していた。だからハイチ地震の現場では、緊急医療や衛生状態について専門知識に基づいて知らせることになる。

ベッサーは、現地のけが人救援所から、けがをした子どもたちの様子をレポートした。屋外の地面の上にシートやベッドが並べられ、子どもたちが手当てを受ける。「痛むところを見せて……確かにすりむいてるね」と会話をしながら、「どんなけがか知るにはレントゲンがいりますが、ここにはない……なしで済ませるしかありません」「大勢の子どもが苦しんでいます。

やけど、閉じていない傷口、骨折……」と報告するベッサー。

カメラは無事だった子どもたちを映し出す。

「この子たちは地震でけがをしませんでしたが、別の危険にさらされています。清潔な水も食べ物もないのです。水や食べ物、トイレのある安全な場所の確保ができるかどうかで、地震でのけがをまぬかれたこの子たちが、新たな被害者になるかどうかが決まります」

場面が切り替わって、黄色いTシャツの若い女性が横たわっているのが映し出される。頭部をけがしたのか、白い布で保護している。ベッサーはカメラに向かい報告する。

「この若い女性は私の手を握っています。国中、必死に助けを求める中、彼女の声は最も小さな声です。最も弱い立場の人の声こそ、最も聞かれなければならない」

女性は絞り出すような声でベッサーに尋ねた。

「何か助けてくださるのですか」

医師でもある記者ベッサーは通訳を介して女性に答える。

「いや、できないんだ」

助けが必要なこの女性に、ベッサーは言い切った。そして続けた。

「……私はこのニュースを伝えることができる。きっと、このニュースを伝えることで、救援の人がもっとたくさん来てくれるはず。希望を持って」

ベッサーは医師だから、この女性を助けることができる。助けないのは医師としての責務と矛盾する。だが、ベッサーは記者としてここにいる。記者の責務は市民のために伝えること。そのため、取材対象とは一体化せず距離を置き、独立を保つことだ。

ここで彼女の手当てを始めたらベッサーは医療ボランティアになり、被災地関係者の一員となる。そうなるとカメラに向かって話したとしても、独立した第三者の記者による報告ではなく、「医療関係者の立場で経験を訴える」ことになる。「今、医療要員が不足している」と述べても、医療関係者の立場だから特に言っているのだろうと受け取られ、話半分に聞かれるかもしれない。

人気のユーチューバーが何かを紹介し、実は裏でその「何か」の関係者とつながっていれば、それは宣伝目的を隠した宣伝行為、ステルスマーケティング（ステマ）として非難の対象になる。ジャーナリズムはそんな裏のつながりがないことが建前だから、私たちは報道を信頼することができる。だから、記者はどんな現場であっても原則としては、取材対象との間に一線を引いていなければならない。

現場の窮状を目の当たりにして、ベッサーがなお「いや、できないんだ」と真剣に言うのは、そのためである。

記者であるからには目の前に苦しんでいる人がいても、手を貸すことなく報道に専念すべきだ——建前はそうかもしれないが、現実にはそうすべきでないケースも当然あるだろう。実は、ベッサーはこのシーンとは別に、女性の出産を助けている。他のアメリカのテレビ局、CNN、NBC、CBSからもそれぞれ医師である記者が現場入りしているが、いずれも医療行為に携わり、医療行為の様子もまた報じた。そしてそのことに批判も起きた。医師としての行いを、報道に利用したという批判である。

非常に難しい問題だ。やはり医師でありノースカロライナ大学チャペルヒル校のジャーナリズムの教授であるトム・リンデンは、アメリカ・メディア「エレクトロニック・ニュース」で医師兼記者の三つの行動基準を提唱した。①緊急時には医療優先としていい。その場合自分の医療行為は報道しない。自己中心的な自分語りになりがち、②子どもの取材には保護者の同意を得るのがアメリカの報道規範であり、それは被災地でも同じ、③医師兼記者が自分で医療行為をした患者は報道対象にしない。報道の了承を求めれば、患者からすれば「断れば医療してもらえないのではないか」というジレンマに陥る——というものだ。

記者が被災者でもあったときどう取材したか

災害を報じる記者自身も被災者という場合もある。被災地の地元メディアの記者は特にそうだ。熊本日日新聞記者の植木泰士は、記者になって三か月で二〇一二年の九州北部豪雨、二〇一六年の熊本地震、二〇二〇年の熊本豪雨など、多くの災害を取材してきた。熊本地震の際は阿蘇市民で、大きな被害が出た被災地の住民でもある。植木自身、記者として被災地で、救助が必要な場面に立った経験も多いはずだ。「助けるのか、報じるのか」の間で悩んだことはないのか。

「基本的にはもちろん助けます。ただ記者でもあり市民でもあるので、伝えつつ助けるという両立は可能だと思うんです。記録をすることも大事なことだし、助けることも大事なんです。目の前の一人の命も大事だし、伝えることで守られる何千人の命も大事かもしれない、そこはケースバイケースで現場で判断しています」

すべてはケースバイケース。単純な基準はない。だから非常に難しい。

「命の現場なので、これ（がれきなど）をこう持ち上げたら助けられる、という場面で、いや自分は第三者だから写真だけ撮るというのは絶対にやらないと思います。ただ、それも記事にすると思います」

医師兼記者が自分の医療行為を報道すると自己中心的になるという戒めはあるが、被災者でもある記者が現場で他の被災者と力を合わせたことなら、自分語りとは違う現場ルポになる。これもまた、現場ごと、記事ごとにすべて性格が違うということの一例だろう。

記者は被災者や救援者から見て邪魔者になるという見方もあり得るが、地元メディアであり、ないという。

同じ被災者の場合もある熊本日日新聞の記者たちはそういう扱いは受けづらく、苦情はあまりないという。

「実際、住民の方に『熊日さんなら入ってよかよ』と言われる、みたいな現場があるんですよ。講読もされていて、信頼されていて。災害があると、僕とかもう（発生から）一週間ぐらい経つとボロボロのかっこうなんです。泥だらけで、まともにお風呂に入っていないような。それだけで信用してもらえるんですよね……」

そんな人の雰囲気で、メディアとの距離感も変わってくるものなのか。

「僕も、ジャーナリズムってもっと機械的で、やるべきことが決まっていて、出さなければいけない情報は出さなければいけないと思っていたんですけど、でも実際現場に行くと何かヒューマニズムというか、人間だなと思うんです。信頼は別に方法論じゃなくて、記者の人の良さとか、そういうところがあるんですよね」

そんな気持ちの通じ合いが、被災地の人々と、被災者でもある記者との間に？

「リアルタイムで現場を歩いて、（熊本日日新聞の）腕章とかつけてると『何とかこの状況を発信してください』というような声をかけられるんです、避難所とかに行くと……。ネット上とかにあるようなマスコミ批判だけじゃない、何か世論みたいなものがあって、記者へのねぎらいもあるし『この村の惨状を伝えてね』と言われると、『頑張ります！』と思います」

だがこの時代、被災のひどさを発信するならＳＮＳでもいいのではないか。

「ツイッターの方が速かったりしますし、ミクロな単位で伝えることにはＳＮＳは特化していると思うのですが、本当にそこに住んでいる生活者の声とかは、やはり紙の新聞の方が圧倒的に多いと思います。しかも解説や未来の視点を加えたりし、何でこういう災害が起きたのか、避難は適切だったのかなど、ＳＮＳの情報の速さや多さとまた違い、分析を加えたり検証したりの役割はあります」

一方、現場を報じる記者にも、被災者として支援が必要な場合もありそうだが……。

「自分自身が被災者でもあるので、食べ物とか燃料がない中で被災者と同じ目線で現場にいるわけです。ただ、現場には一、二日すると、公的な支援の弁当や菓子パンが入ってくるんですけど、これは一切手をつけなかったです。自分は仕事で行っているので、そこにいた人とか住民の方の食べるものの数を減らしちゃいけんという思いがあって。新聞社とかは自分でそれに備えておかないといけない」

記者も被災者、住民なのだし、もらっても別に悪いことはないのでは……。

「被災地住民でもあったわけですが、自衛隊とかが炊き出しをしている中、僕も地域では（普段の取材活動で多くの人に会い、記者として）知られている。妻は市役所職員で公務員だったので、並ぶわけにはいかない。余ったらもらおうというような話です」

2　メディアスクラムをなくせ！

被害者、加害者と多数の記者たち

植木たち地元メディアの場合は被災者の取材に当たって、かなりの信頼を得ていた。そういう記者だからこそ、読者や視聴者である市民からも、より真実を反映し、より奥深い情報の提供を受けることができそうだ。

だが植木によると、災害に当たって東京など遠方から駆けつけてきた記者たちの中には、無思慮な振る舞いも見られたという。ドラマや映画で記者たちはしばしば、事件の被害者や加害者に群がってカメラを向け、マイクを突きつけ、「お気持ちは」というような粗雑な質問をぶつける者として描かれる。大きなニュースの現場に報道メディアが詰めかけ、少数の人に大勢の記者やカメラマンが取材をしようとする「メディアスクラム」で、現実にもこうした問題は起こる可能性がある。

一九九五年三月二〇日朝、東京の地下鉄に猛毒のサリンがまかれた地下鉄サリン事件で死亡した霞ケ関駅助役高橋一正の妻、高橋シズヱは知らせを受けて病院に駆けつけた。夫は亡くなっていた。その夜、「体も神経も引きちぎられるような一日」の後、帰宅すると自宅前に待っていたのは報道陣だった。高橋シズヱと朝日新聞記者の河原理子がまとめた本『〈犯罪被害者〉が報道を変える』（岩波書店）によると、様子はこうだ。

> たどり着いた自宅マンション前で私が目にしたものは、私めがけて煌々《こうこう》と照らされたライトとその前に黒く浮かび上がったカメラと人、人、人。私はすぐさまそこを退散して、人影がなくなった夜中にやっと帰宅できた。

その後の取材でも、失礼な記者、乱暴な取材は少なくなかった。『〈犯罪被害者〉が報道を変える』には、そのほか九〇年代から二〇〇〇年代初めにかけ、歴史的な大事件・事故の被害者となり、たくさんの記者が一斉に取材する現場で傷つけられた被害者が文章を寄せている。小学校で殺傷事件が起き、親が急いで学校に向かうその行く手をさえぎって話を聞こうとした記者。既に作ったストーリーに当てはめるような取材をする記者。事件について下調べもせず知識ゼロで取材する記者。事件後の慰霊祭に派手なシャツやジーンズで来るカメラ担当者。事実関係が間違いだらけの記事を出した記者。これらの現実は重大な問題で、逃げ隠れできないメディアの過ちだ。ただ申し訳ない思いになる。私自身も含め、真摯に反省し、再発しないようにしなければならない。

これらの批判のさなかだった二〇〇一年一二月、日本新聞協会編集委員会と日本民間放送連盟報道委員会はそれぞれ、多数の記者による乱暴な取材を防ぐための対応策を決めた。「いやがる当事者や関係者を集団で強引に包囲した状態での取材」はしてはならず、通夜葬儀の取材は遺族や関係者の心情を尊重し、服装や態度に留意すること、取材車の駐車マナーや近隣の静粛に注意することなどが挙げられている。当たり前の内容だが、ガイドラインができたことは改善の力になる。

以後、メディアスクラム防止はメディア界の共通認識となってきた。それもあって、二〇一九年の京都アニメーション事件ではかなり強力なメディアスクラム防止策がとられた。地元の記者クラブ（新聞、通信社、放送が加盟）所属の記者たちは、犠牲者の身元が明らかにされたときに、遺族の元に大集団で押しかけるのではなく記者クラブを代表して二人の記者が訪問し、取材に応じるかどうかの意思を確認する方式をとった。そのため被害者側の取材の混乱は、六九人もが一度に殺傷されるという犯罪の大規模さと比べる限り、かなり抑制されたといっていいのではないか。

ただ、この代表取材方式が導入されたのは取材途中だ。死者三六人のうち先に身元が判明した一〇人の氏名が発表されたときには各社がそれぞれ取材したため苦情が寄せられ、より徹底的な方法を編み出したというのが実際だ。

記者はどうしても「自由な取材こそ真実発見の道」と考える。平穏を重視して取材を縮小しすぎれば、報道は当局の発表や表向きの声明が増える。報道規制となると、たとえ自主規制でも、戦時下の日本で出現した情報統制のミニ版になるのではないかと職業的な警戒感が先立つ。しかも、自主規制をするなら各メディア企業からそれぞれ正式な了解を取り付けて初めて、実効力が発生する。

それもあってメディアスクラム対策は後手に回りやすい。例えば、二〇二二年四月、北海道の知床半島付近で遊覧船「ＫＡＺＵ　Ⅰ（カズワン）」が沈没し一四人が死亡、一二人が行方不明になった事故の現場や被害者の周辺では取材が問題となり、遺族がメディアに厳しく苦言を呈したことも伝えられている。

取材の在り方は今も深刻な問題であり、このことは何重にも自覚する必要がある。報道に携わるなら、常に誠実な者であるべく考え続け、また具体的に策を考える重大な義務があるといえるだろう。

「取材・報道に不快感」被害者遺族の六割近く

記者の現場取材の態度は改善されているのか。

かつての一九九〇年代を見ると、一九九二〜九四年の研究者グループによる調査で、殺人、強盗殺人、傷害致死などの犯罪で家族を亡くした被害者遺族二四六人のうち「マスコミの取材・報道による不快感」は「あった」五八・五％、「なかった」四一・五％で、六割近くが不快な思いをしている（宮澤浩一ほか『犯罪被害者の研究』成文堂）。

二〇〇〇年代はどうか。内閣府が二〇〇九年、被害者団体や被害者支援団体を通じて郵送で行い、一一五人から回答を得た調査では、殺人や傷害など暴力犯罪の被害者・家族（遺族）で、かつ報道関係者と接触があった人のうち、傷つけられることが「多かった」「少しあった」の合計は四二・八％（被害者関連団体を通じた郵送調査）でやはりかなり高い。

ただ、接触のあった他の関係者に傷つけられたかどうか、全体を見ると▽加害者関係者……七五・〇％▽警察官、検察官、裁判官など……五七・二％▽病院等医療機関の職員……四三・五％▽報道関係者……四二・八％▽友人、知人……三六・四％――となっている。事件被害者が受ける「二次被害」軽減には報道だけでなく幅広い人々の努力が大切になりそうだ。

ところで、二〇〇八年に内閣府が実施した別の犯罪被害者調査では、事件後の心境について「全然報道してもらえず、淋しいと思った」と被害者本人一〇・一％、家族一一・七％が答えている。「不安を抱えた」「落ち込んだ」などが被害者本人の七割を超えているのよりも全く少ないし、二二ある選択肢の中で最低の割合だが、一割の犯罪被害者や家族が「自分の事件を報道してほしかった」と残念がっている。

先に挙げた本『〈犯罪被害者〉が報道を変える』にもそんな声がある。大事件の被害者遺族で、報道によって少なからず苦労された方々が別の被害者に「私のところには（記者は）来てくれなかった。あなたはいいですね、たくさん報道されて」「いいですね、私の事件は一切報道されません」などと言われた経験を明らかにしている。

「伝えてほしい声」を持っている人がいる。そして、桶川ストーカー殺人事件のように、被害者の遺族や友人を丁寧に取材し報道したからこそ、警察による被害者への裏切りが判明したケースもある。もし「警察が発表したストーリー」だけを知らされ、報道に被害者側からの情報や意見がないということになっては、市民が得られる情報は欠陥品となる。何より民主主義なら、市民の声、市民の発言を大切にする社会であるべきだ。

一方で、ずさんで乱暴な取材のしかたにより、深く傷つけられた人々もいる。これを重く受け止めなくてはならない。ポイントは取材報道をやめることではなく、取材で人を傷つけることを避けるべく自らを律しながら、市民への情報を良いものにするという難しいバランスを真面目に考えること、そして「どのように相手の気持ちをおしはかり、無理をせず、より良く取材し、より良く報道するか」となる。困難な目標であっても、目指さなければならない。

「メディアには話さなければならないの?」

参考になりそうなのが、オーストラリアのニュー・サウスウェールズ州司法省が被害者向けにまとめたアドバイス「犯罪被害者のためのメディアガイド」だ。最初の方に『公益』について」という説明が置かれている。

公益とはやっかいな概念だ。メディア報道や情報開示は、当事者にとっての利益とはいえない場合も多い。では誰の利益か。そのとき、公益という言葉が使われることがある。公益はパブリック・インタレストの和訳だが、より身近な言葉で「みんなの利益」という方が英語の語感に沿っていそうだ。この本でもたびたび強調している、「運営側」である市民たち全体の利益ともいえる。

「何でこんなことを報じるのか」と問われて「公益性が……」という記者たち。だが記者たち自身、「公益性」とは何かを明快に説明できないことがある。実際、かなりあいまいな概念で、「この人の利益」になると指し示せるものでもない。報道で「この人が困る」ことは示せるのに……。

しかも日本語の場合は「公」や「公共」の語感が「官」つまり政府と混同しやすい。パブリックとは本来その逆、「民」を意味する。オーストラリアの「メディアガイド」は次のように説明する(内容は抜粋)。

あなたは「公益性」があるとして何かが報道されるのを見聞きしたことがあるかもしれません。公益とは、その情報が世の中の人たちに、安全や幸せの面で役立つという意味です。

報道の仕事をする人々は、自分たちのコミュニティにとって重要な出来事を知らせるのが責務です。コミュニティ全体が、住民の安全や幸せについて気にかけていますから、安全に対する脅威、攻撃はどのようなことでも「公益に関係する」とみなされ得るし、そしてまた、社会の皆にとって関心事となり得るのです。

暴力や攻撃を受けたり、殺害されたりした個人についての詳細を報道することは、公益に資すると説明されることがあります。こうした出来事が警察や司法制度によってどう対処されているかも同様です。

もしあなたが、記事にする情報を探している報道関係者から連絡を受けたら、彼らはあなたのことを報じることは公益に資すると言うかもしれません。あなたが彼らに何かを詳しく明かすかどうか、インタビューを受けるかどうかはあなたが独自に判断することです。彼らと話す義務があるわけではありません。その要請について考え、実際にメディアに話したいかどうか、決めてください。あなたが決めることなのです。

「あなたが決めること」――つまりメディアをどうするのか、「あなたが決める」ため、市民が考え行動できるための判断材料を提供する。

◇メディアには話さなければならないの？

いいえ、完全にあなたが決めることです。ただメディアはとても粘り強いものです。できるだけ良い記事を出すことはジャーナリストの仕事です。家族の誰かを代表にしてメディア対応するのも完全にＯＫ。まれに警察から、捜査を前進させるためメディアに話してほしいとお願いすることもあります。

◇メディアに話すメリットは？

重要な事件の場合、世の人々が関心を持っています。メディアは記事を正しく報じたいと考え、また被害者、事件について詳細を正しく提供するためあなたの助けが必要です。犯罪についての認識を広げ、再発防止につながります。

もし誰も立件されていない場合、加害者を見つける役に立つことがあります。加害者を見つけるため、警察は社会にアピールする上であなたの助けを要します。亡くなった方がいる場合、これは広く社会として彼らに追悼を捧げる方法です。

◇メディアに話すリスクは？

渡した写真は継続的に使われます。最初の数週間は問題なくても、六か月、あるいはもっと後に繰り返し悲しみをもたらすかもしれません。これに関していえば、あなたが最良だと思う写真が出ていると分かっていれば、安心にもなり得ます。親族提供写真でない場合、メディアはＳＮＳなどを探します。これはリスクがあり、どんな写真が報道されるかコントロールできなくなります。

新聞、ラジオ、テレビにはインタビューや写真映像の記録を保存する保管庫があります。将来、調査資料として使われることがあります。

メディアスクラムが発生しそうな場面、あるいは不意に取材を受けることになりそうな場面についてはこう説明する。

◇公共公開の場所で撮影されること

あなたは裁判所にいるときや、警察署に赴いたときに撮影されるかもしれません。テレビの記者たちは、公共公開の場所にいる人を撮影する正当な権利があり、これを避けることは困難です。とりわけ、議論になっている出来事の場合はそうです。これには、犯罪現場が公道や公共公開の場所だった場合、現場の撮影も含まれます。メディアはまた、あなたの住まいや、あなたが住まいに出入りする様子を撮影することも、敷地に入らず道路からであれば、できます。もしあなたが裁判所で撮影されることになりそうだと思ったら、誰か支援者と一緒にいるようにすることが良いでしょう。これがいかに助けになるか、驚くはずです。追い回されている感じは減り、カメラクルーとの距離も少し開きます。

◇取材内容はどの程度コントロールできるものでしょうか?

もし取材を求められたら、どのような質問をしたいのか把握すべきです。どんなコメントでも、事前に考えるため質問内容を提供するよう要請することはできます。取材を受けようと考えるか判断する助けになります。

メディアがニュースに情緒を持たせようとすることはよくあります。そして、亡くなった人の親しい家族からの取材は、非常に力があるものです。そうした取材に同意した場合、そして特に犯罪が起きた直後であれば、ジャーナリストはそれを最大限使おうとするのが普通です。

犯罪現場で、メディアは被害者や目撃者と話をしようとします。メディアを避けることは難しいとはいえ、悲痛のただ中にある状態で取材を受けないことが望ましいでしょう。警察は多くの現場にメディア専門官を配置しており、そうしたときにメディア対応を助けることができます。

事件後、取材に同意した場合も、気が動転したり泣いたりする可能性は想定できます。悲痛の中にある状態を見られない方が良いなら、そうした映像、画像は使ってほしくない、あるいは、取材のその部分は撮り直してほしいと伝えましょう。しかし、心の準備ができるまでは取材を受けない方が望ましいでしょう。ジャーナリストの中には、あなたがカットしてほしいと求めても、録画した動画を何でも使おうとする人もいるのです。

活字メディアの記者に話すとき、もし書いてほしくない何かをしゃべった場合、「この部分は報道用ではありません」と明確に伝えましょう。そのコメントや発言の部分は報道しない――と、彼らに復唱してもらってください。やはり、答える前にどう答えるかを組み立てる時間を取ることが望ましいでしょう。ジャーナリストがその情報を使わないという保証があるとは限らないからです。

ジャーナリストたちはこうした状況にある人々に接することに大変慣れており、彼らが親身で、あなたに優しいと感じることが非常に多いでしょう。あなたの思いを間違ったふうに伝えたくないと言うかもしれません、だからその約束は守ってもらいましょう。何を伝えてほしいか、間違いなく彼らに分かってもらい、報じてほしくないどんな内容も、彼らに覚えておいてもらいましょう。

このオーストラリアの司法省のガイドは、「何かあったら良くないから」と、禁止したりやめさせたりする「べからず集」でなく、市民が意見を言う権利も大切にする「助言集」になっている。捜査側のガイドだけに「あなたの話すことは捜査に影響を与えるかもしれません」「疑問があれば警察官に助言を求めて」と釘を刺すくだりも実はところどころあるのだが、それでも市民の意見表明やコミュニケーション情報を損なわないという人権尊重の姿勢がある。被害者とメディアのより良い関係が作られることは、社会のプラス、そして市民にとってのプラスだという視点がうかがえる。

3　誰の利益のための報道か

高校生新聞に載せてはいけない記事

ジャーナリズムには中立より独立が必要であることは、アメリカではジャーナリズム教育でも強調される。民主主義の「運営側」である市民に、必要な情報を提供する。そんなジャーナリズムの実際を学ぶことは主権者教育、市民教育の柱になる。『ニュースを追う高校生のジャーナリズム入門』は高校生向けジャーナリズム教科書の一つで、実際に高校新聞の記事を書く高校生記者たちを主人公に、彼らが直面する悩みやトラブルに沿ってジャーナリズムの原則を説明している。

その中に「編集チェックリスト」という項目がある。高校新聞の編集部で、仲間の記事を点検する際のポイントだ。「その記事では、互いに無関係な三人以上から話を聞いているか」「匿名の情報源を使っていないか、もし使っている場合は理由を記事に明示しているか」など、プロレベルの視点だ。その中に次の一項目がある。

「執筆者は、自校の応援《チアリーディング》となることを避けているか」

高校新聞は自校が出場したスポーツの試合も報じるだろう。読者は「わが校」の勝利を待ち望む。だが、アメリカの高校生向けジャーナリズム教科書は、高校新聞が「わが校の応援記事」を載せないよう戒める。それはジャーナリズムに欠かせない独立性を失うというのだ。高校新聞編集部は高校のためではなく、読者——つまり、その高校というコミュニティに生きる市民——のためにある。なのに高校のため、応援のためとなると、弱点やミスがあっても、まずは「喜ばれる記事」を優先しかねない。その結果、高校新聞の読者、市民たちは真実から目をそらされる。

「わが校の応援記事」がNGなら、ある国の報道機関がことさらに「わが国の応援記事」を出すのもNGということになる。このジャーナリズムの基本を実際に徹底し、国の指導者を怒らせたのが、イギリスの公共放送BBCだ。しかも国の大ピンチ、他国に戦争を仕掛けられたさなかである。

一九八二年四月、南米アルゼンチンの軍事政権は、同国の沖約五〇〇キロの距離に浮かぶ大西洋フォークランド諸島（スペイン語名マルビナス諸島）を武力攻撃し占領した。フォークランドは一九世紀からイギリスが支配し、二〇世紀後半に植民地が次々と独立する中でもイギリス本国から遠く離れた支配地として南米に残っていた。ここにアルゼンチンが突然攻め込んだことで始まったのがフォークランド戦争（フォークランド紛争、マルビナス戦争とも呼ぶ）だ。

イギリス初の女性首相で「鉄の女」の異名を取ったマーガレット・サッチャーのもと、イギリス軍は約二か月かけて島を再占拠し、アルゼンチン軍を降伏に追い込み、この戦争はイギリスの勝利に終わった。だが、イギリスにとっては戦時体制を組んで遠方に多数の艦船や航空機を出動させ、二〇〇人以上の犠牲を出す厳しい試練となった。

「多くの人々（私を含む）は、とりわけBBCの態度が好きではなかったし、私は同局に対し大変懸念した」

「彼らは、あたかもイギリスとアルゼンチンの間で中立であるように報道することがある。次にとるべき作戦について担当官たちと話したことをすっぱ抜き、敵を助けていると強く感じたこともある」

「私が常に気にかけるのは我が軍の安全だ。彼らが気にかけるのは、ニュースだ」

これは二〇一五年に明らかになった、サッチャーのメモだ。イギリスの公共放送ＢＢＣがイギリス応援報道でないことにいらだっている。

サッチャーをいらだたせた一人がハロルド・ブライリーだ。当時、ＢＢＣのアルゼンチン駐在記者として戦争を最前線で報道した。彼は振り返る。

ＢＢＣは「国家反逆者の態度」という非難、国を愛していないという中傷に憤慨し、イギリスと侵略側とを中立、同等に扱うことはあり得ないと述べていた。（略）それでも同局の世界的な名声となっている「客観性と信頼性」を守ることは、「真実を守る」ことだった。ＢＢＣは歴史ある指針を守ることにこだわった。「私たちは『イギリスの』という意味で『わが～』と言うことを避けるよう心がけるべきだ」というものだ。イギリス兵の士気を高めることは、その仕事ではなかった。

ＢＢＣの報道は当のフォークランド諸島住民から「同諸島と南大西洋で何が起きているかについての、唯一信頼できるニュースメディア」として賞賛されたという。イギリス応援メディアではなく、またアルゼンチン軍事政権にコントロールされた同国メディアでもなく、独立を保って、市民みんなのための姿勢に徹していたからだ。

公共放送とは「民」による「民」のための放送

それにしてもＢＢＣは「公共放送」である。公共のための放送局なら、国のために頑張ってもいいのではないか。そこに「公共」という日本語のわながある。

「公共図書館」といえば県や市が運営している。「公共工事」といえば道路や橋の建設で、国や県や市が命じて行う。だから「公共」というと役所など公式なもの、つまり「官」を考えがちだ。だが公共はもともと英語の「パブリック」に当たるものが非常に多い。そしてパブリックとは「みんなの」「人々の」。つまり「民」だ。「官」とは異なる。「パブリック・インフォメーション」が公共公開情報、つまり「みんなのもの、公開で誰が見てもいいもの」という意味なのはそういう背景だ。パブリック・インフォメーションには役所の公式書類も含まれ得るが、

「公式」をパブリックというのではない。市民に公開されており、あるいは公開されるべきものをいうのだ。

だから公共放送《パブリック・ブロードキャスター》は「民」による「民」のための放送局だ。政府からも誰からも独立している。金の面でも政府の世話にならないよう、ＢＢＣもＮＨＫも同じような受信料制度で独自の財布を持つ。政府に遠慮しなくて済むための仕組みだ。コマーシャルを流して広告料を受け取る民放だと、スポンサーへの遠慮がないかという指摘を受けるし、視聴率が下がれば広告収入が減るが、そんな心配もいらない。つまり視聴率を優先してうけ狙いの番組を作る必要もない。たとえＢＢＣやＮＨＫなど公共放送の番組を見ない人にも、受信料に支えられたこんな放送局があること自体メリットが大きい。政府や大企業に遠慮しない自由な言論が出てきやすい社会になるからだ。

ただ、この理念が実際に生かされるよう、公共放送が権力や企業をしっかり監視するには、市民が報道内容に関心を持ち、叱咤激励することが大切だ。ここでも市民は「運営側」、単なる「お客様」ではいられない。

なぜ取材相手に事前に原稿を見せないのか

二〇一二年三月一四日、アメリカのワシントン・ポストは「学習評価の取り組みで大学自身がテスト不安症」という記事を掲載した。大学が四年間の教育で学生の力をどれぐらい伸ばせたか調べるため、民間団体の成長度テストを取り入れることが多くある。一年生と四年生に論述式試験を行って点数を比べる仕組みなのだが、このテストにどの程度意味があるかは疑問も――と問題提起する内容だ。その一例としてテキサス大学が挙げられ、一年生も四年生もあまり点数が変わらない、つまり四年間かけて教育したはずなのに力がついていないとも受け取れる結果が出たことを取り上げている。

ただしテキサス大学はいくつもの大学ランキングに名前が載る上位校だ。テキサス大生が駄目なのではなく、逆に優秀すぎて一年時のテストで高い点を取ってしまい、四年時に伸びる余地がなかったという可能性もあるという。記事内でも同大学の教育部門責任者ポール・ウッドラフが同テストについて「私たちの学生には少し易しい」と述べ、テキサス大学四年生で二〇歳のソー・ランドは入学時に既に三六点満点の三四点を取ってしまって「これ以上どの程度伸ばせるというのか」と首をかしげる。この成長度テスト自体が単純で、そんなもので大学の力は測りきれないという指摘も記事内には示されている。

報道の四か月後、この記事が問題化した。テキサスの雑誌で人種差別や銃規制、女性の権利などを積極的に取り上げるテキサス・オブザーバーが「ワシントン・ポスト記者、大学当局者に記事改変を許す　論議のテストめぐる報道で」という記事を載せたのだ。

それによると、ワシントン・ポストで学生成長度テストの記事を書いた記者ダニエル・ドビセはテキサス大学を取材した後、広報担当者にメールで記事の原稿を送り、チェックを求めた。だが、報道前の原稿をそのまま取材相手に見せることは、原則禁止というのがジャーナリズム界の通例だ。

原稿を見せられた方は、気に入らない中身があれば当然あれこれ口を出さずにいられなくなる。取材対象として満足する報道になるよう、報道内容への介入を招く結果になりやすい。市民にとってベストとなる報道、市民に知ってもらうべきことを知らせる記事ではなく、取材対象にとってベストな情報発信、つまり宣伝記事に近づいてしまう。そのようなものをフェアな報道と思って読まされるリスクは市民が負う。

こうなることが目に見えているため、原稿そのものを事前に見せるというやり方はとらないのもまた、市民のため報道の独立を保つ上での慣例となっている。天下の有名紙ワシントン・ポストの記者がこれに反した疑いがあることを、テキサス・オブザーバーは報道倫理の観点から問題視したわけだ。

テキサス・オブザーバーの報道によれば、このケースで実際、ワシントン・ポストの報道前原稿を見て大学側はカンカンになった。テキサス大学が成長度テストに批判的であるような書き方が不本意で、広報担当者のゲイリー・サスワインはワシントン・ポストのドビセに「これはひどい」「必要に応じ編集者に対応してもらう」「けんかを売っている」と伝え、テストに反対しているように読める書き方は「根本的に事実に反する」と抗議した。そしてサスワインは記事原稿に自ら多数の修正を入れて送り返した。報じられる側が、一部とはいえ自分についての記事を自分で書く事態だ。まさに広報宣伝のPR記事になる。

成長度テストは保守派のテキサス州知事リック・ペリーの周辺にも推進派がいる。州立大学のテキサス大学が成長度テストに批判的となると、知事は愉快ではないだろう。

結局、テキサス大学に関するワシントン・ポストの記事は、大学側の要求をいろいろと受け入れた上で掲載されたものだった。それを指摘するテキサス・オブザーバーのデジタル版記事は大学側と記者ドビセがやりとりしたメール自体も添付し、ダウンロードもできる。このメールのやりとりは情報公開制度でテキサス・オブザーバー記者が入手したものだ。テキサス大学は州立大学のため、職員が取り扱ったメールは公文書公開の対象になる。

ワシントン・ポスト記者のドビセの行為は単純に正しいとか間違いだとか言い切れないところがある。事前チェックで記事の中に事実の間違いが見つかり正確なものに修正できれば、読者つまり市民にとってプラスだ。記者が取材相手の言葉の意味を誤解していた、ニュアンスが大きく違っている、など誤りが修正されることもそうだろう。だが、事実だけでなくニュアンス、ニュアンスだけでなく記事のトーンにまで介入され、批判をやわらげさせられ、真実から遠い記事にゆがめられる危険もある。それを、知らぬ顔で市民に提供するとなると、取材対象は満足しても、市民にとっては重大な裏切りになる。独立し、市民に忠誠を誓っているのではなく、取材対象に忠義を尽くすようなことになりかねない。

報道の独立を守るため原稿の中身を取材相手に事前に教えないルールはアメリカでも近年微妙に変化し、「正確性のため」に堅く限定した上で、報道内容の一部について事前説明を認める議論が出ている。ただ「事実が正確かどうかの確認だけ」という約束は想像より難しい。今回のケースのように原稿をまるごと渡してしまうと、渡された側は事実関係だけでなく批判や不本意なトーンを何とかしようとするのはむしろ自然なことだ。こうなると報道の独立どころか、取材相手を監修者や共著者の立場に立たせ、何かあれば、その責任を負わせることにつながりかねない。

アメリカの記者団体「プロフェッショナル・ジャーナリスト協会」がまとめた本『メディア倫理』は、記者の独立を守りながら正確さを求めるため、仮に事前確認を求める場合も、説明範囲は記事全体でなく相手に関連する部分にとどめ、メールで要点を知らせて詳しくは電話で話す方法をとることを推奨する。原稿のコントロールを手放すことなく、何を書くかは記者が独自に判断することが肝心だと強調する。

日本の報道実務でも、原稿をそのまま渡すことは通常ない。一方、コメント部分すなわちカギカッコの内側や、微妙な事実関係、専門知識に関わる内容、差別や偏見の引き金となり得る要素などについては細かく具体的に説明、確認することが多いが、相手が権力者か、弱い立場かなど、それぞれ事情がある。一つ一つ判断するしかない。

どの国でも、事前に原稿確認を求めることは逆にもめごとの引き金になってもおかしくない。取材相手から見れば、記事の内容を知らせるだけ知らせておいて、しかし事実が違うという以外の要望には、記者は取り合わないということになる。むしろ腹立たしく傲慢に感じられるだろう。取材相手が企業や団体の広報担当者であれば、上司から「事前に報道内容の大筋を知らされていたのに、何も変えられなかったのか」とかえって厳しく言われるかもしれない。

テキサス大学の一件で、ワシントン・ポストの編集主幹マーカス・ブロークリーは、原稿を相手に見せたからといって、記事のトーンが変わったり批判が弱められたりしたわけではないと弁明した。しかし同紙はこの問題の後、事前確認のルールを厳格化した。

事前確認は正確性を保つ目的、例えば科学担当記者が内容に間違いがないか確認するため、取材相手に原稿の一部だけを読み聞かせるなどで、原稿全体を渡すことは通常は禁止とした。オン・ザ・レコード（オンレコ、実名引用可）として聞いた話はオンレコのまま変更できないことも明示した。これは「こういうコメントにしますよ」と聞かされた取材相手が「それだと実名はまずいから『政府高官』にしてほしい」と言っても認めてはならないということだ。

「政府高官」のような匿名コメント、匿名ブリーフィング懇談のように匿名を条件とした取材を英語のジャーナリズム用語では「バックグラウンド」といい、取材時にあらかじめ明確に約束することが普通だ。

テキサス大記事問題の少し前にも、ウォール・ストリート・ジャーナルのジーナ・チョン記者が、取材相手のアメリカ政府高官、ブレット・マクガークに報道前の原稿を見せたことが主な理由で退職した。実は、チョンとマクガークは不倫関係が発覚し問題になっていた。だが、退職の理由は不倫が不道徳だという視点ではない。報道前の原稿を見せたことである。会社側はまた、チョンがこの関係を社に報告しなかったことも問題視した。記者が取材相手と特別な関係になれば、報道がその相手に甘くなる恐れがある。チョンでいえば政府高官であるマクガークに甘く、つまり政府寄りの記事になってしまう危険が生まれる。あるいは、そう疑われて信用を失う。そういう問題である。

英語のジャーナリズム格言に「象とベッドをともにしようが構わない。サーカスの取材を担当しているのでなければ」がある。記者がどんな恋愛関係を持とうが勝手だが、サーカス記事を書く記者が、サーカス団の象と恋愛関係を持つことは許されない。なぜならその記者は独立した立場を保てず、象の演技についての記事はひいき目になり、市民はそんなゆがんだ記事を読まされる。社会の「運営側」である市民に良い情報を提供できるかどうかが、あくまでもその観点である。

当事者の利益をめぐる、弁護士とメディアの対立

ジャーナリズムは読者や視聴者となる市民を最優先し、取材対象の利害にとらわれないよう独立を保つ。報道される側の利益のために報道したりしなかったりを決めるのではない。となると、報道される側の利益を代弁する弁護士と、メディアがぶつかることもある。ぶつかれば弁護士たちは取材や報道に対して「プライバシー侵害に該当する」と主張したり、記事や番組の内容が不当だとして抗議文や訂正要求書を送ったりすることもある。場合によっては報道機関を相手取って裁判を起こす。

弁護士は報道と逆に、当事者の利益のため、当事者を代弁し、擁護する法律専門家だ。報道との関係でいえば、当事者の広報担当者の立場となる。当事者にできるだけ有利な情報が報道に出るよう、不利な情報はできるだけ報道されないよう努力するのが責務だ。

一方で、少なくないメディア企業が第三者委員会を持ち、それに弁護士が加わることも多い。表現の自由やメディア法に詳しい専門家の立場で報道の役割を論じればジャーナリズムの質を高めるが、もしここに、当事者利益を重視する立場が持ち込まれると、ジャーナリズムの役割があいまいになり、報道を当事者に従属させる「広報」化の要素が入り込むリスクもある。

さらに、弁護士の団体で高度な公共性を持つ弁護士会がメディアや報道に関する意見を表明するとき、当事者利益の代弁をする弁護士の役割、つまり「当事者の要望に沿う報道」を追い求める立場なのか、公共団体として民主社会におけるジャーナリズムの「当事者の利害からは独立を保つ」原則を踏まえるのかは、必ずしも十分には議論されてこなかったように思われる。

それでも記者と弁護士は、ともに市民の利益と社会問題に強い関心を持ち、実際には強く協力し合える関係だ。アメリカの非営利団体「報道の自由のための記者委員会」を支えるのは多数の弁護士で、例えば記者が情報公開制度に基づいて政府の文書の開示を請求し、拒まれたとき、開示を求める裁判の支援をする。報道を快く思わない企業や有力者が、嫌がらせ目的で記者相手に裁判をちらつかせたり、実際に裁判を起こしたりすることがあるが、そのときは記者側の弁護を引き受ける。

イギリスでメディアを弁護する弁護士の団体「メディアローヤー協会」は、個人情報保護の名目でジャーナリズムを牽制する動きに反論したり、法廷取材の権利を確立したり、第三章で紹介したようにＳＮＳ上の嫌がらせに記者が反撃できるよう、法的手段をアドバイスしたりと奮闘している。すなわち、あらゆる関係者の法的圧力からジャーナリズムの独立を守り、市民への情報が細らないようにするのもまた、弁護士の力である。こうした協働は今後、日本でも欠かせないものになるだろう。

第六章　ニュースにお金を払うということ

1　無料でなければニュースは読まない？

ニュースを出すにはお金と人手がかかる

かつて大勢への情報発信は新聞、出版、放送のプロたちにほぼ限定されていた。インターネット時代は誰もが世界中に情報発信できる。二〇二一年、日本の一三〜六九歳の一五〇〇人を対象にした総務省の調査では、ユーチューブを利用する人は八八％いるほか、インスタグラムは四九％、ツイッターは四六％が使っている。実際に発信する人はインスタグラム二〇％、ツイッター一六％と下がるが、それでも五、六人に一人の市民が世界に情報発信をしている。

情報発信といってもいろいろある。報道、ジャーナリズムはほかの情報発信と何が違うのか。この本ではこれまで、ジャーナリズムがどんな役割を果たしているか、どんな課題があるかを述べてきた。

不正な女性差別入試など社会問題や隠れた不祥事が取材と報道の力で明らかになり、報道がなければ気付かずに続いていたかもしれないこと。デジタル技術の時代に報道記者たちもＳＮＳを活用する一方、ＳＮＳを悪用した攻撃に苦しめられてもいること。ニュースは歴史の第一稿で、その中心にいる歴史や社会の主人公は一人一人の市民たちであること。広告や宣伝は

「伝えられる側」の利益が大切だが、報道はそうでなく、誰からも独立し、市民のベストとなることが目的であること。裏付け取材をして事実をよく確かめ、しかも事実だけでなく真実に迫ろうと努力すること。誰からも独立して政治権力など力ある者の監視に努めること。

それらはすべて、市民のため、民主主義の社会の「運営側」である市民が考え、行動する材料にするため、長い時間をかけて作られてきた原則だ。これが、さまざまな情報発信の中でも報道の特徴になっている。

これをやろうとすると、手間ひまがかかる。

例えば二〇二一年四月一日に朝日新聞が伝えた「男女格差解消、挑む自治体」という記事を見ると、記事の署名には四人の記者、伊木緑、三島あずさ、伊藤恵里奈、秋山訓子《のりこ》の名前が並ぶ。四人がかりで書いた記事だ。

この記事は全国の自治体、つまり都道府県や市町村が男女平等を目指してどんなチャレンジをしているかをまとめている。「若い女性が街からいなくなっている。あまりに男性中心な街だからでは」という危機感を持った兵庫県豊岡市、市の審議会や委員会の委員のうち四五％以上を女性にすると決めて女性登用を進める岩手県釜石市、公的な役職の男女比のデータ作りを進める愛知県日進市などのこと。こうした動きについて議論しているいくつかの非営利組織（ＮＰＯ）の人々のこと。取材をして話を聞いた中身が記事に書いてある。このほか記事に載せきれなかった取材もたくさんあるのが普通だ。こんなに手をかけているのでは、四人がかりでも大変だったはずだ。

　実際にはこの四人だけでは記事は出せない。記者のほか、報道の方向性を考え、アイデアをとりまとめる編集者（「デスク」とも呼ばれる）がいる。新聞の場合は膨大な記事を出すため、さらに全体的なまとめ役もいるのが普通だ。文字や数字、言葉遣いの誤りを正し、基礎的な事実関係のチェックもする校閲者、紙面やウェブページのレイアウト担当、写真記者が別途写真を撮る場合もあるし、イラストやグラフを作るデザイナーもいる。一本の記事に一〇人以上の手がかかっていてもおかしくない。そして紙の新聞なら、印刷、配送、配達をする人たちがいて初めて手元に届く。

　二〇二二年六月二〇日の毎日新聞には、南米の国コロンビアのルポが載っている。この国では左翼武装組織が一部地域を支配し、組織同士の抗争が絶えず、一般住民も大勢殺されている。記事はゲリラの支配地域に記者が入り、住民に話を聞いたものだ。銃撃や誘拐が続く場所に、防弾車を使って毎日新聞・中村聡也記者が行っている。いったいどんな場所か、記事内で地元の運転手が説明する。「ここから先が、左翼ゲリラ『民族解放軍（ＥＬＮ）』の支配地だ。（略）午後6時までにこの検問所に戻らないといけない」「（戻らないと）ＥＬＮから命令に背いたとみなされ、最悪の場合、誘拐されるか殺される」

中村は毎日新聞のサンパウロ支局長。ブラジルに駐在し、中南米を取材する立場だ。大手のメディアには中村たちのような海外駐在の記者がいて特派員とも呼ばれる。特派員はその地域の専門家で、背景をよく知った上で書いた記事を市民に発信する。だが特派員を置くには事務所（海外支局）の家賃、現地スタッフの人件費など莫大なコストがかかる。せっかく海外支局があるからと現地で起きたニュースの現場に足を運べば、また移動経費もかかる。二〇〇四年のアメリカ・ルイジアナ州立大学のジョン・ハミルトンらの研究では、新聞社は海外特派員一人につき二五万ドル（三二五〇万円）の経費を使う。テレビの場合はスタッフが多数必要なことなどからさらに倍以上になるという。

テレビ報道の仕事は大きな設備と最先端機器を使うし、それらを扱う人も必要だ。記者だけではなく、カメラ、編集、照明、音声、技術、送信管理……と多数のプロフェッショナルがチームとなって働く。そうして質を維持し、安定した映像を出すことに心を砕く。見苦しい場面を放映しないよう細心の注意をする。手間ひまをかけて細部を点検し、放送の質にこだわる。

報道記者から日本テレビのキャスターを務めた小西美穂の言葉のミスは、そこまでのこだわりがなければミスとも呼べないものかもしれない。

「『パン屋さん』のアクセントを間違ったんです」

小西は私の取材に振り返る。二〇〇七年ごろ小麦粉が世界的に高騰した。その暮らしへの影響を報道番組で報じていたときだ。値上げの直撃を受けたのがパン業界で、標準語アクセントでは「パン屋さん」は「パ」が高く、「ン屋さん」が下がる。それを全体が同じ高さの平板なアクセントで言ってしまった。小西は兵庫県加古川市出身、大阪にある読売テレビで長く記者を務め、アナウンサーではないから発音やアクセントの専門訓練は受けていない。「もっとも、関西でも『パン屋さん』はそういうアクセントでもないんですが……」。アクセントに一瞬迷い、変になったのかもしれない。

プロの世界で、これがそのまま見過ごされることはない。

「コマーシャルの間に、上司が飛んできた。厳しく怒られて……」

上司は単にアクセントの間違いを問題にしたのではなかった。こう小西にただしたという。

「これはニュースの核になる言葉だ。そのアクセントがずれていると、視聴者はそっちが気になってしまって、ニュースがきちんと届かなくなるだろ！」

ニュースキャスターの言葉に少しでも変なところがあると、見ている側は「今の、変じゃなかったか？」と、そこに気を取られるものだ。肝心のニュースの中身に身が入らなくなる。それではニュースが伝わらない。報道の役割を果たせない。プロの報道にそれは許されない。上司はそれを小西に伝えたのだった。

こんなこだわりを貫くため、スタッフの人材を厳選し、研修や訓練を繰り返し、すべての仕事に時間をかけた打ち合わせや調整を行う。やればやるほど経費にはね返る。

取材のコスト削減で失われるもの

手間ひまかけて、人の手と人の目でつくりあげる報道は、いわばすべてが手作り製品だ。費用をまかなう収入をどうやって得るかは、新聞とテレビで異なる。

新聞社の主な収入は、読者が新聞代として払うお金つまり販売収入と、新聞に広告を載せる広告主から払われる広告収入の二本立てだ。日本新聞協会の調査では、二〇二〇年、八九の新聞社の総売上高約一兆四八〇〇億円のうち、販売収入が五八％、広告収入は一七％だった。二〇〇五年は九六社の総売上高が約二兆四二〇〇億円だったから、一五年で四割近く落ち込んでいる。

この一五年間はデジタルメディアが急発達した時期に当たる。総務省の調査では、スマートフォンがある世帯は二〇一〇年には一割に満たなかったが、二〇二〇年には八六・八％となった。同時期にSNSも普及した。かさばる紙の新聞よりも、スマートフォンのSNSアプリの方が便利で刺激的に思える。

日本新聞協会によれば二〇〇五年、日本の新聞の発行部数は合計五二五七万部だったが、二〇二〇年には三五〇九万部と、三分の二に縮小した。これで減るのは新聞の売り上げだけではない。部数が減り、読む人も高齢市民が多くなってきたので、広告の効果は下がり、広告収入まで減る。図書館には、昔の新聞を縮小して印刷した「縮刷版」が置いてあるが、二〇〇五年ごろの新聞は自動車の新モデルや新作映画など勢いのある広告が活発に掲載されている一方、二〇二〇年には高齢者向け健康食品などの広告が増えている。

二〇二二年には新聞発行部数は三〇八五万部にまで低下した。二〇二〇年からの二年間で四〇〇万部以上消えた。割合では一三％減ったことになる。このペースで減れば、二〇四〇年ごろには一〇〇〇万部を割る。他国に比べればまだ規模は大きいといえるが、読者の高齢化も進んでいるために現役世代への影響力が下がってくる。そうなるとメディアとしての存在感も低下する。

その分、デジタル有料購読者を増やすことで収益や影響力を補うことに新聞社は力を入れ始めているものの、広大なインターネットの海の中で注目を維持し、中身で勝負するのは簡単ではない。新聞はメディアの中でも報道専門、ジャーナリズムに絞ったメディアという数少ない存在だが、今は苦闘を続けている状態といえる。

テレビ局も岐路に立っている。民放テレビの収入源である地上波テレビ広告費の動きを、広告大手の電通が毎年発表する日本の総広告費データから見ると、二〇〇五〜〇七年には約二兆円だったものが、二〇〇八年の経済危機「リーマンショック」の時期に減少して一兆七〇〇〇億円～一兆八〇〇〇億円のあたりをいったりきたりし、伸び悩んでいる。若者のテレビ離れも言われる。テレビも高齢者が見るメディアになってしまうと、テレビコマーシャルを出す魅力は薄れ、広告料は稼ぎにくくなっていくかもしれない。

　収入が減れば、コスト削減をはかるしかない。デジタル技術の発展でメディアの仕事が多角化、競争激化する中でも、民間放送局は従業員数を二〇〇五年からほとんど増やしていない。新聞社はさらに人員削減の努力を続けていて、二〇〇五年に比べて二〇二〇年に全国の新聞社の従業員数は二五％減った。それでも記者の減少は一三％に抑えている。第二章で説明した「変なことがあれば記者が気付いてニュースになる」ための、いわば市民のための見張り網を維持しているわけだ。その分、記者以外で大きく人を減らしていることになる（人員データは日本民間放送連盟、日本新聞協会による）。

　それでも記者数に全く手をつけないわけにはいかない。全国紙の中には地方の取材網を縮小するところもある。全国メディアに入社した新人記者は、地方で数年間働いて力をつけ、その後東京や大阪の中枢部で取材報道の腕を振るうというコースが普通だったが、地方取材網が細るとこれも見直されることになりそうだ。

　報道の質を維持しながら人員を減らすためには、これまでのような「すべてを取りそろえたメディア」から、「重点をはっきりさせたメディア」になっていく可能性もある。ただし、重点以外の取材をやめれば報道の見張り網が穴だらけとなり、役割を果たせない。そこで、通信社からの記事でそれらを補う策が考えられる。

通信社とは、すべてのメディアが全国や世界のニュースを十分に市民に届けられるよう、メディア向けにあらゆるニュースを配信する会社だ。日本には共同通信社と時事通信社がある。通信社の記者は国内外に全面展開していて、例えば共同通信社は国内全都道府県に拠点を置き、海外取材網は日本メディアの中で最大級だ。そこで取材したニュースは地方紙、全国紙、テレビ局など各メディアに配信する。

国内外の取材網をすべて自前で展開するより、通信社を利用する方がはるかに安い。ただしコストを下げようと自前の記者を減らしすぎ、通信社の記事ばかりになれば、自社がこれまでの報道で積み上げてきた問題意識やノウハウなど強みを生かした報道ができなくなる。市民から見て、報道メディアとしての魅力も活力も失う恐れがある。

取材のコストを下げるため、デジタル技術や通信アプリを活用することも活発に行われる。とりわけ二〇二〇年からの新型コロナウイルス感染症流行で人と人との接触が制限されたのをきっかけに、ズームなどビデオ会議システムを使った取材が急増した。移動時間も、交通費もかからない。

ただ、取材はコミュニケーションそのものだ。真実を隠しておきたい人に、良心に訴えて本当のことを話してもらうこともある。時には気迫ある質問で相手にぶつかっていくこともある。逆に、つらい立場の人が勇気を出して社会に訴えられるよう、そっと励まし、間合いを置きながら会話をすることもある。ビデオ通話だと微妙な感じを伝えきれないときがある。

私が二〇二一年に公表した調査「コロナ禍がもたらした記者のコミュニケーション危機」では、対面コミュニケーションが制限されると真実に迫りきれないという記者の悩みが明らかになった。

そこから引用すると、共同通信編集局社会部担当部長（肩書は調査当時。以下同じ）だった西條高生は同部の記者の声として「（コロナ対策で人との接触が制限され）新規に人と知り合える状況にない」「コロナ対策を理由に夜回り（非公式な取材のため、夜自宅を訪れるなどして接触すること）もＮＧとなる人が増えた」「（取材で）ズームなどのビデオ会議システムを使う際、広報担当者など関係者が同席することが増えた気がする。同席した社員、職員らが対話をコントロールしようとする姿勢が強まっている」「シンポジウムのズーム取材は一方通行なので、終了後パネリストと名刺交換してこちらの顔を覚えてもらうことや、出席者と関係を築くこともできない。本来人脈を広げる機会だが、そうした場がうまく活用できず、もどかしい思いをしている」と伝える。

またフジテレビ報道局社会部でコロナ禍取材を統括した知野雄介は、ある病院の取材をやむを得ずビデオ会議システム通話と映像提供でしのいだが、「プロの取材としては先方が『これだけ放送してほしい』というものを受け入れて放送するわけにはいかない。記者がレポートし、カメラを回すものとは内容が違ってくる」と訴える。取材相手が「知らせたいこと」を知らせるだけになりかねず、そうなっては報道としての任務を果たせないという悩みだ。

対面で取材していれば――と悔やむのは、共同通信札幌支社編集部次長の長谷川智一だ。長谷川は、関西電力高浜原子力発電所の地元、福井県高浜町の元助役森山栄治（故人）から関西電力の役員らが多額の金品をもらっていた問題を独自調査でつきとめ、報じた記者だ。

この取材の際に「大勢の関係者のうち、一人のキーパーソンを直接でなく電話で取材した。関西電力に関することだけに遠隔地の人が多く、やむを得なかった。その人は電話で話すうち、自分の説得に気持ちが動いていることが感ぜられ、『落ちる』（協力してくれる）かと感じたが、それでも表情は読めず、心の揺れ動きもつかみづらく、結局説得はならなかった」という経験があったという。人のコミュニケーションは微妙だ。目の前にいれば理解し合えても、電話越しではうまく行かないこともある。メールやＬＩＮＥではなおさらだ。

微妙な内容までも正確に、精緻に市民に伝えるには、良い取材、良いコミュニケーションが必要になる。人手も時間もかかる。報道メディアは、社会の「運営側」である市民にベストな情報を提供すべきなのに、どうやってそんなコストをまかなえばいいのか。デジタル時代に収入源はあるのだろうか。

報道はネット広告では稼げない

ネット広告で取材費を稼ぐというのが一つのアイデアだ。ネット上の報道メディアには広告がついている。紙の新聞・雑誌は広告で大きな収入を得ていた。民放は広告こそが主な収入源だ。

ところが、ネット広告では新聞や雑誌の広告のようには稼げない。伝統ある経済週刊誌、東洋経済新報のデジタル版（東洋経済オンライン）編集長だった佐々木紀彦は、かつて二〇一三年、アメリカ・メディア界の皮肉として、広告料金は紙対オンライン対モバイルで「一〇〇対一〇対一の法則」があると紹介した（佐々木紀彦『5年後、メディアは稼げるか MONETIZE OR DIE?』東洋経済新報社）。

多くの人が見てくれる新聞や雑誌の広告スペースには限りがあり貴重だ。高い値段でも広告を出そうという人がいる。一方、ネット空間は無限だから、貴重も何もない。「場所代」としてならばただ同然、下がる一方となる。さらにスマートフォンでは広告を見てもらうチャンスも少ない。

紙の新聞や雑誌の広告の強みは「多くの読者に見てもらえるはず」というものだ。一方、ネットでは「見てもらえるはず」ではなく、実際に何回見られたか、何回クリックされたかが計れる。単純な理屈でいえば、何も有名メディアの公式ウェブサイトにこだわらなくても、何千何万もの個人ウェブサイトやブログに広告をばらまけば、薄く広くクリックされ、合計のクリック数は同じように稼げる。有名メディアが広告スペースを提供する強みは失われる。

しかも、この安くなってしまった広告料から、ネット広告配信を手配する企業が容赦なく手数料を抜く。イギリスのオックスフォード大学ロイター・ジャーナリズム研究所は、「ネットでの広告費はグーグルやメタ（旧社名フェイスブック）といった大規模プラットフォームに流れていく」と、メディアの収入になりづらいことを指摘する。

ネット広告は、複数のシステムが絡み合う巨大な仕組みになっている。グーグルなど検索エンジン、フェイスブックやツイッターなどSNS、広告入札システム（広告スペースにどの企業の広告を載せるかを広告代に応じて瞬時選定する）、クリック数や閲覧数のカウントシステムなどだ。これをさばくため、アド・テクノロジーと呼ばれる技術が使われる。一方で、コンピュータープログラムを使って、実際に市民が見たわけではない形だけのクリック数を稼ぎ、広告の効果を大きく見せかける詐欺的な行為も横行している。

日本政府がデジタル界を公正にするため設置した「デジタル市場競争会議」が二〇二一年四月に発表した報告書は、ネット広告のシステムはあまりに複雑で変化が速いため、広告主もメディア側も、実態を理解するのが困難で「ブラックボックスのような状態」だと警告する。

ブラックボックスとは、中が全く分からない箱や装置のこと。つまり広告を出す企業、広告を載せるメディアの両方とも、ネット広告の仕組みや料金体系がよく分からず、すべてお任せになる。分かっているのはネット広告配信に関わる検索エンジンやSNS、広告代理店だ。

デジタル市場競争会議の報告書によると、広告スペースを提供して広告代を受け取る側のメディアからは「自分たちが適正な収益を得られているのか不信感がある」「感覚的にはメディア側の取り分が、広告主が支払っている費用全体のうち三〇%を切っているのではないか。手数料を取られすぎていると思う」という声が上がる。つまり広告主がメディアに広告を出す代金として払ったお金の大半は、検索エンジンやSNSをはじめネット広告システムを取りしきる企業に「中抜き」され、メディアには少額しか届かないと嘆いているわけだ。

ネット広告費の多くが「中抜き」されるのは日本に限らず世界共通の現象だ。イギリスの有力新聞ガーディアンの編集長、キャサリン・バイナーは「ネット広告が伸びるという期待は、ほぼまるごとグーグルとフェイスブックに持っていかれた」という。

自社の報道ウェブサイトに広告を載せ、広告料金を得て収入にしようとしても、ネット広告費はもともと安すぎ、その安い広告費からもがっぽり「中抜き」され、メディアに届くのは涙金にしかならない。世の中のニュースをきちんと取材するなら、ネット広告費では全くコストに見合わない。となると何が起きるか……。

そのことはメディア側だけでなく広告を出す企業の側さえ気にかける事態になっている。デジタル市場競争会議の報告書に、次のような内容の意見が紹介されている。

「私たちが払った広告費のうち、コンテンツ（記事や映像）にコストをかけるメディア側にはわずかしか支払われず、このままでは良質なコンテンツを提供するメディアが成り立たなくなることを心配する」「デジタルだとメディアはそれほどもうかっていない。広告費は間で抜かれており、四割程度しかもらっていない」

さらに「かわいそうだと思う」とメディアをあわれむ声まである。そしてこう恐れる。

「もうけの率が高いメディアが残っていくことになる。もうけの率が高いとはちゃんとした取材に基づかない、コンテンツにコストをかけていないということ。そういうメディアが残っていくことになってしまう」「コピー貼り付けメディアが勝ってしまう」

コンテンツにコストをかけないメディア。市民のための正確な取材報道には興味がなく、適当に面白い記事やＳＮＳ投稿をどこかからコピーして勝手に貼り付け「どうなっているのか見てみましょう」「いかがでしたか？」などの文で水増しして読み物に仕立てたり、報道メディアの記事の一部を切り取ってことさらどぎつく、下世話な興味を刺激するようにまとめたりするウェブサイトのことだ。

現場取材も事実確認も、リアルなコミュニケーションもいらない。プロのこだわりも必要ない。個人が片手間にできる。これならコストは極端に安いから、収入となる広告費がわずかでも元が取れる。記者を雇う給料や取材経費は払えないが、ちょこっと小遣いを稼ぐだけならちょうどいいかもしれない。そういうメディアだけが生き残れる環境をネット広告のブラックボックスは作り上げている。

各国メディアはデジタル有料購読にシフト

ネット広告ではろくな収入が得られないため、各国の報道メディアは基本に戻り始めた。記事に講読料を払ってもらう。長い間「ニュース記事は無料読み放題」がインターネット上の実態だった。それをやめ、有料会員だけが記事を読めるようにする。

成功例はアメリカのニューヨーク・タイムズで、二〇一一年三月に制度を作ってからデジタル有料購読者数は伸び続け、二〇二二年八月には九一七万人に達した。二〇二七年に一五〇〇万人という大きな目標を立てている。一方、紙の購読者は減り続け七六万人だ。ニューヨーク・タイムズはアメリカを代表する新聞とはいえ、紙版の新聞が読めるのは主にニューヨーク周辺だった。だがデジタル版はアメリカ全土、いや世界中で講読される。デジタル有料購読を始める前は経営が苦しい時期もあったが、今ではすっかり元気を取り戻している。

他の地方紙はニューヨーク・タイムズよりは遅れてデジタル有料講読戦略に乗り出し、二〇二〇年前後には年に数十％という高率で購読者が増えたところもある。だが長く続いた紙版の部数減に伴う減収を盛り返すには時間がかかりそうだ。多数の地方紙を傘下に持つメディアグループ、ガネットは二〇二二年、デジタル有料購読者の急増を記録しながらも、当面は人員を減らしてコスト削減を進めるという厳しいかじ取りが続く。

一方、イギリスのガーディアンは有料購読者とひと味違う「寄付会員」を増やしている。同紙はネットに全記事を無料開放している。紙版が貴重な収入源だったがその部数は長期低落で、経営は赤字続きになっていた。そこでデジタル版を有料化するのではなく、ガーディアン・ファンに「この新聞を存続させるにはお金が必要だ」と説明し、定期寄付の会員になってもらうという奇策に出た。

お金を払わなくても記事は読めるのに、寄付などするものだろうか――そういぶかしむ声を尻目に、二〇一九年には定期寄付会員六五万五〇〇〇人、一回限りの寄付者三〇万人を記録し、悲願だった赤字脱却を果たした。その後も好調で、二〇二二年七月には編集長キャサリン・バイナーの年俸が四割アップの約五一万ポンド、つまり約八一六〇万円になったことを、ライバル紙のデイリー・テレグラフが報じている。保守的なデイリー・テレグラフの記事は、リベラル派のガーディアンに対して嫌味たっぷりに「ガーディアンはこれまで、企業幹部の過剰な給与と同紙がみなしたものを何度も批判してきた」と当てこすっている。

デジタル有料購読者や寄付者を増やすことで、ジャーナリズム業界が立ち直れるのではないか、民主主義を運営する市民に安定して情報を送り続けられるのではないか。

世界中のメディア関係者が熱い視線を送っているが、市民がニュースにお金を払うかどうかは国によって温度差がある。オックスフォード大学ロイター・ジャーナリズム研究所の二〇二二年世界調査では、デジタル講読の仕組みが広がっている二〇カ国の中で、前年にネット上のニュースにお金を払ったことがある人の割合が突出して高いのはノルウェー（四一％）やスウェーデン（三三％）。一九〜一五％がフィンランド、アメリカ、オーストラリア、オランダなど九カ国で、日本は下から二番目の一〇％、最低はイギリス九％だった。

この調査で、ロイター・ジャーナリズム研究所はニュースにお金を払っているのが中高年に偏っていることを心配している。アメリカの二七歳の男性の「ニューヨーク・タイムズが私に、記事を読むのなら講読するように求めるのが嫌だ。サギだよ。ニュースは無料のはずだ」という声を紹介し、「ネット情報がほとんど無料の時代に育った多くの人の姿勢を表している」と指摘する。

日本は新聞の普及率が極めて高いことで知られてきた。ところがネット有料購読では遅れている。日本はいまだに紙の新聞の部数が多いので、単にデジタル転換が遅れているだけかもしれない。

だが、日本の新聞普及はもともと、市民がニュースや社会問題に熱心というより、過熱した新聞の戸別訪問セールス競争や、「他の人も新聞を取るから」という同調圧力の影響があるかもしれない。もしそうだとすると、今後デジタル講読するかどうかは見通せない。紙メディアの時代は家でも電車でも、新聞を読む姿は一目瞭然で、他の人が興味を持ち新聞を読む動機にもなった。スマートフォンではそうはいかない。

スマートフォンの時代、小さなモニターを通じて無数のコンテンツがユーザーを奪い合う。ゲーム、動画、マンガ、音楽、ＬＩＮＥ、アニメ、メール、ＳＮＳ……。どれもこれも、愉快だったり気になったり、見ずにいられない。コンテンツ提供側からすれば、ユーザーがアプリを開いている時間を引き延ばす競争だ。少しでもユーザーの注意を引いて、気持ちに刺さるための刺激度合いを高める。コンピューターが高速計算したアルゴリズムの力で、私たちが「もうちょっと見てみよう」と思いたくなる何かをすかさず投げてくる。

そんな激しい競争の中で、ニュースはいかにも地味なコンテンツだ。勝ち目があるとすれば、つい見たくなる芸能やスポーツ、衝撃告白のような記事ばかりなのだろうか。

ニュースは、私たち市民が社会の「運営側」として、社会が今どうなっているのかを知り、意見を持ち、議論をし、行動できるためにある。車でいえばドライバーを務める私たち市民が、今どんな道を運転しているのか、どんな危険があるのかを正確に知るための地図になる。

地球温暖化で東京が水没する危険は？　日本は戦争する国になるのか、私たちが戦場に行く可能性は？　ピンチのとき頼れる社会保障は十分か？　性的少数者が誇りを持って生きられる？　子育てはしやすくなる？　仕事中のハラスメントに対抗できる制度は？

そんな「？」と結びつく、人々に起きたトラブル、悲劇、議論。ニュースを通じて市民同士誰もがお互いに関心を持ち、すべてが社会の地図になる。

市民として、社会に、人間に、お互いに、関心を持つ私たちでいられるのか。ニュースメディアが生き延びる可能性も、生き残る意味も、最後はそこにある。

『サンデーモーニング』の「生存視聴率」戦略

ネット広告がまるでお金にならない一方、ネットでない広告料の収入は、メディアの運営を支えることができている。

典型は民放だ。民放、つまり民間放送はＮＨＫのような公共放送と違い、視聴者からお金（受信料）を受け取らない。お金は広告で稼ぐ。企業のコマーシャルを放送し、その企業から広告代を受け取る。人気番組にコマーシャルをはさめば、多くの人が見てくれ、宣伝効果が高いので、高い広告料を払ってもらえる。メディアも娯楽も少なかった一九六〇年代には、視聴率が六〇％以上（テレビがある家の六割以上が見た）という番組が本当にあった。そこにコマーシャルを流せば数千万人が一度に見る可能性もある。それほど多くの人々の注目を広告に集められるのが、テレビコマーシャルの高い価値になっている。そこで高い広告料を得られ、民放は無料で放送できる。

収入を増やすためには、広告の効果が上がるように、つまり番組をたくさんの人が見るようにすることが必要だ。その指標が視聴率である。

どんなものをたくさんの人が見るのか。無料で見られる場合はどうなのか。特にそれがニュースの場合は……。

パソコンやスマートフォンで見られるネットの無料ニュースのランキングはいろいろあるが、総じて芸能やスポーツ、衝撃情報が目立つ。

では、無料メディアである民放のニュースも、そんな話題の比率をどんどん高めれば、高視聴率を得られて人気番組となるのだろうか。セレブの話題や面白動画を取り扱わず、堅いテーマを重視する番組は滅びゆくのだろうか。

TBSが毎週日曜朝に放送する『サンデーモーニング』は、政治、経済や社会問題、国際問題を扱い、コメンテーターが持ち前の知識を生かして議論する報道番組だ。芸能ネタは扱わず、コメンテーターもタレントではなく学者やベテランジャーナリストなど、専門知識を持つ人々だ。これでは真面目すぎて、芸能ネタを盛り込んだ他局の番組に負けてしまうのではないか。

　ところが、『サンデーモーニング』は日本有数の長寿番組だ。一九八七年から放送を続けている。こんなお堅い番組がなぜ――その疑問を、番組のチーフプロデューサーである金富隆にぶつけてみた。本当に芸能ネタはやらないのか。そこで金富が振り返ったのは二〇一六年八月のＳＭＡＰ解散発表だった。

「芸能ネタはやらないですね。ＳＭＡＰが解散するということが日曜日の未明に発表になった。裏番組の情報番組は、番組の頭から『ＳＭＡＰ結成からこれまで』など、一時間ぐらいずっと大展開です。それはそうですよ。夜中に発表されているということは、朝起きてそれを見てＳＭＡＰ解散を初めて知るわけで、テレビ画面に『ＳＭＡＰ解散へ』というサイドスーパー（画面の角に出る字幕）が出ていたら、みんなびっくりして見るわけです。でも、うちはそれをやらない……番組の冒頭で一分ほど触れただけです」

　日本有数の人気グループ、ＳＭＡＰの解散発表となると、さすがに通常のニュースしても報じるべき社会の動きだ。お堅い新聞でも報じるだろう。『サンデーモーニング』もあくまで社会ニュースの一つとして取り上げ、しかしあとは通常の政治や社会の話題を続ける。一方、他局の情報番組は最強の芸能ネタとして、ＳＭＡＰの話題を大々的に放送した。となると、普通の視聴者はそっちを見たくなるのではないか。

「当然、その週の視聴率は負けるわけですよ。でも、その週は負けても構わないという考え方です。うちは芸能ニュースは一切やらないという姿勢を、こういうときこそ貫いた方がいい――これは番組MC（司会者）関口宏さんの考え方なのですが、この週の視聴率は負けても、『サンデーモーニング』はそういう姿勢を持った番組と分かってもらえたら、価値があると」

分かるしすばらしいけれど、視聴率が取れなければお金も取れず……ではないのか。

「その週は負けるけれど、番組の姿勢や方針のファンになってもらえたら、それが一番大事なことではないか。それはより強い、信頼関係ではないかという考え方です」

市民が信頼する番組、信頼するテレビ。なるほど熱い思いを感じる。だが、どうしても気になる。それでやっていけるのか。

「『生存視聴率』という言葉があるんです。筑紫哲也さんが作った言葉ですが――」

筑紫哲也はリベラルかつ真剣な態度で信頼と人気を得ていたTBSのニュースキャスターで、二〇〇八年に七三歳で死去した。前職の朝日新聞記者時代から合わせ五〇年近いジャーナリスト生活を送った。報道界にも慕う人が多かった。

「視聴率は、いたずらに高い視聴率をずっと取りたいと考えると、一番強いとされるネタに傾斜する。時としてスキャンダリズムや、あざといといわれるネタに」

つまり芸能や衝撃映像など、みんなの話題になるもの。ネットのクリックランキングで上位に来るようなものだろう。

「でも、そういうもので番組の中身を決めていくと、その週は数字を取れるかもしれないけれど、番組そのものは信頼されないのではないか。一過性の数字は取れても、番組は長生きしないのではないかという考えです」

だから、どんどん高い視聴率を望もうとするより、番組が打ち切られず、生き延びられる程度の視聴率を維持できれば、そこから先はむしろ、番組の質重視で考える。その「生き延びられる程度の視聴率」が生存視聴率という考えだ。

「政治ネタとか経済ネタとか、絵がないとされるわけですが――」

この「絵がない」というのは、テレビの仕事でよく聞く。映像にしづらい、一緒に使う映像がない、ということだ。なるほど、政治や経済は言葉や数字のニュース。映像にできる重要シーンはないことも多い。

「絵がついてくる、芸能なんてまさにそういうものですが、それより政治や経済、事件、ウクライナ侵攻のような大事なニュースを番組がラインアップしていった方が、結果的には見る人の信頼を勝ち取り、番組は長生きできるのではないか。実際、結果的にそういう番組の方が長生きできている」

そうはいっても、ネット時代にはメディアの競争がどんどん厳しくなっている。何でもありの競争に巻き込まれそうだ。そんな中でも生き残れるのだろうか。

「言ってることと矛盾するように聞こえますが、面白いものを作り続けることだと思うんです」

芸能をやらない、真面目で大事なニュースをやる、ということだったが……。

「いえ、堅いニュースだって『切り口』の作り方次第で面白くできるというのが持論です。例えば、ロシアから若い人たちが隣国のジョージアなどに逃れる動きがあります」

その頃、ロシアがウクライナ侵攻を続けるため、徴兵を強化するという政策が伝えられ、ロシア人が国を去る動きが出ていた。

「(日本の視聴者にとっても) どこかで自分たちもこうなるかもしれない、と自分事としてそれを見られたなら、切実さを持って見てもらえると思うんです。堅いニュースをどうしたら柔らかく面白く見てもらえるか、その工夫です。視聴者は自分もそうですが、『お勉強』は嫌い、面白いと思うから見る。制作者として、そのニュースのどこに面白さがあるか探るのです」

つまり金富は「面白い」という言葉を、「笑える」「面白おかしい」ではなく、「興味や関心を引かれる」という面白さの意味で使っている。なるほど、メディアは義務感ではなく、見たいから見る。栄養が必要だからではなく、おいしそうだからご飯を食べるのと同じだ。良質な食事をおいしく作るのが、「堅いニュースを柔らかく面白く」することに当たるのだろう。

「井上ひさしさんの言葉で『むずかしいことをやさしく、やさしいことをふかく、ふかいことをおもしろく』というのがあります。そこを目指したい」

市民から信頼されるテレビ番組にという、こんな金富の思いに応えられる私たち市民でいられるか。

テレビほど視聴率に敏感なメディアはない。テレビがくだらないというのは簡単だが、なら内容を変えさせるのも本当は簡単だ。良い番組の視聴率が上がればどの局も追随するだろう。番組やテレビ局の公式ウェブサイトには「ご意見投稿フォーム」が用意され、テレビを作っている人たちに声を送るのも簡単だ。ＳＮＳでメディア批評が活発な時代、良いメディアを励まさなければ、消極的な見殺しになるかもしれない。賛成できないメディアに異論を伝えなければ、消極的な容認になるかもしれない。誰が読むか分からないＳＮＳより、正面からそのメディアを作っている人に声を届けるのは、ネット時代の市民だからできる責務なのかもしれない。

実際、この本で既に取り上げたアメリカの本『ジ・エレメンツ・オブ・ジャーナリズム』が掲げる報道のおきて一〇カ条の一〇番目「市民もまたニュースに関して権利と責任がある」は、二〇〇七年の第二版から追加された。ネット時代には市民も、報道をより良くするためメディアと意見や情報を交換すべきだと促す。やはり市民は「運営側」なのだ。

2 「運営側」のための情報活用法

誤情報から身を守る七つの方法

社会のことに詳しく、的を射たことを語れる。自分なりによく考えた意見を持つ。そんな「情報の達人」になるにはどんな方法があるだろうか。この本では社会の「運営側」である市民という考え方を繰り返し述べてきたが、そのために、そして何より人生を豊かにし、危険を避けるためにも、この時代の情報活用法についても考えていきたい。

この時代の情報といえば、何をおいてもインターネットだ。生活に欠かせない情報資源で、大量の情報サイトが作られている。ニュースに関する情報を載せたものも多い。それらがＳＮＳを通じて拡散される。こうしてネット上には情報があふれる。波にのまれず、有効に活用するには、情報の質を見定められる「目利き」になることが欠かせない。

この本でも第三章で熊本地震やアメリカ大統領選挙の誤情報、偽情報を紹介した。二〇二〇年代には、新型コロナウイルス感染症のワクチンに、事実に基づかない拒否感をあおるものも出てきた。誤情報、偽情報は今日も作られ、拡散を続けている。

私たちはどうやって、誤情報、偽情報から身を守れるのか。あるいはそれらを拡散する加害者にならないためにはどうすればいいのか。さまざまな情報源の中から、汚染度の高いものを避け、安全度の高いものを選ぶ方法は何か。

アメリカ・アリゾナ州立大学の研究者たちは「あなたを誤情報から守る七つの方法」を提唱する。主なポイントを要約して紹介すると、

1. どこから来たニュースかに注意——誰が発信したのかを考えること。その情報のもとになるものはあるのか。誰かを悪く言う内容なら、それにより得をしている人はいないか。

2. SNS情報は、そのおおもとの発信源をチェック——情報源を聞かれ「ツイッター」と言う前に、ちょっと待て。ツイッター自体は何も言っていない。いろいろな人が書いたものを見せているだけ。ツイートされた情報はもともとはどこに書かれていた情報か、誰が言っていることとか、それはどういう人物か。聞いたことのあるメディアが伝えているのか。ツイッターのプロフィールを見てみよう。

3. 報道記事なら、記事内の情報源に注意——新聞やテレビなど伝統ある報道機関の記者なら、情報源(出典)を明示するという報道倫理がある。記事内に、その情報を「◇◇氏によると」など誰が述べたか名前があればベスト。情報源保護のため隠されているのは次善の策。だが、誰が言ったことなのかはっきりしない、裏付けもない記事は疑うべき

だ。

4. 見出しだけでなく中身も読む――見出しだけだと誤解してしまうことはよくある。クリックさせたり新聞を買わせたり、自分のチャンネルに引きつけたりする目的があるからだ。

5. いくつもの情報源が必要――もし、読んだ記事であなたに激しい感情、怒りや強い喜びという反応が起きたら、それは明らかに注意信号だ。もっと深い読み方をすべきだ。研究で明らかになった多くの偽情報は、あなたにものごとを知らせるためでなく、あなたに強い怒りや恐れの反応を起こさせるように作られている。ほかの情報源も見てみるべきだ。

6. 友達や家族が誤情報をシェアしていたら、修正を――ただし、責めてはいけない、常に優しく。修正するときは「正しい情報は○○だ」と述べるようにし、「△△は事実ではない」という言い方は避ける。「△△」という誤情報を繰り返すことになり、かえって印象を強める効果がある。

7. ツイッターで見た情報を「面白い。本当かな」と思ったら、グーグルでそれを検索し、ニュース記事を探し出し、そこにはどう書かれているかを見る、という専門家もいる。こういうチェックは時間もかかる。だがそれによってパニックを防ぎ、本当に大切な情報を広めることもできる。

一方、日本のメディア専門家で元ＴＢＳキャスターの下村健一・白鷗大学特任教授は、おっと思う情報をネットで見たときに「ソウカナ」のチェックをするよう呼びかけている。

ソ……即断しない（一呼吸置いて、良く考える）。

ウ……うのみにしない（事実の報告なのか、推測や意見なのか）。

カ……偏らない（複数の、できれば多数の情報源で確認）。

ナ……中だけ見ない（ほかの見方や情報がないか考える）。

アリゾナ州立大や下村のアドバイスに加え、ネット情報で特に気をつけたいポイントは、情報サイトの運営責任者が公表されているかどうかだ。見た目がニュースサイト風でも、運営責任者不明では、内容への責任を持つ姿勢がはっきりしない。

それを見抜く鍵は「サイトの最終責任者である個人にたどり着ける情報を明示しているか」である。例えば運営者の本名が公開されていれば、内容に堂々と責任を負う姿勢がうかがえる。運営している法人（〇〇株式会社、一般社団法人〇〇、ＮＰＯ法人〇〇など、法の定める手続きに基づいて設立され、法務局に登記されている）の名を明記してあるなら、登記により代表者名は公開されているのでやはり最終責任者個人にたどり着ける。問題は、団体名やプロジェクト名だけしかない場合だ。登記されておらず、ただのグループに過ぎない団体は、責任者が公表されているとは限らない。連絡先住所があればともかく、問い合わせ先がメールアドレスだけであれば、問題が起きたとしても連絡に答えないという事態も起こり得る。

そうしたウェブサイトのすべてが問題とはいえない。真面目なところもたくさんあるだろう。だが、ことさらに身元を隠す意図を持っているウェブサイトはこういう形を取ることに、注意しておく必要がある。

SNSで紹介された記事が、そんなサイトのものだったら……拡散する前に良く考える必要が高まる。

市民をあざむいた匿名の「首相周辺」

アリゾナ州立大学の研究者たちも下村も、注意を促しているのが「情報源」だ。実際、報道記者が取材で「えっ」と驚く話を聞き込んだときも、気にするのは「その情報はどこから来たのか」だ。

「新型コロナウイルスは、中国・武漢の研究所から出たものだ」というような話が二〇二〇年春ごろによく言われた。これを当の中国政府が言ったのであれば、内容が内容だけに中国政府が行う情報操作や虚偽宣伝とは考えにくく、ある程度信用できる（現実には中国政府はそのようなことは言っていない）。世界保健機関（ＷＨＯ）のテドロス事務局長が断定した場合も、かなり信用を持って受け止められるだろう（テドロスも、現実にはそうしたことは言っていない）。

では「……と、アメリカ国務省の高官が証言した」となればどうか。アメリカ政府が何らかの情報分析によって得られた事実があるのではないかと推測することはおかしくない。ただし、この「高官」が気になる。高官は高官でも、当時のアメリカ国務省のトップ、国務長官のマイク・ポンペオだったら話はさらに変わってくる。トランプ政権の有力閣僚、対中国の強硬姿勢で有名なポンペオなら、根拠が弱くても政治的な効果を狙ってこれぐらいのことを言うかもしれない。となると、どこまで真に受けていいのか。実際に、ポンペオは当時こうした発言をしているが、その後引っ込めたりまた出したりしている。

二〇二二年二月に始まった、ロシアによるウクライナ侵攻では、当事者が意図して情報戦を仕掛けているから、さらに注意が必要だ。ロシア政府が発表した内容か、ウクライナ政府が発表した情報か、欧米の報道機関の報道か、ロシアメディアの報道か。出典を調べ、情報の信頼度をよく考える必要がある。

ジャーナリズムは「出典明示」が大原則であることは第一章で述べた。「警視庁北沢署によると……」「小池百合子東京都知事は……と述べた」「目撃者の山本実さんは……と指摘した」などと書かれる。

だが、世の中にあふれる情報の中には、誰の発言か、どこが出典か明示されていないものも多い。それでは情報が信用できるか計れないし、発信者の意図も議論できない。「誰が言ったか」の実名情報がないと最終的な発言責任も問えないので、こっそり世論を操作しようとする行為も阻めない。

アメリカでオバマ大統領時代の二〇〇九年三月に、ニューヨーク・タイムズのコラムニストのデービッド・ブルックスが記事に「四人の政権幹部」と匿名で書いた中の一人が、実はオバマ本人だったことが分かり、同紙の紙面批評担当オンブズマン、クラーク・ホイトに批判されている。ホイトは、ニューヨーク・タイムズのルールでは匿名情報源を使うのは実名では証言してもらうことがどうしても不可能な情報を記事に載せるための「最後の手段」なのに、安易に「政府高官」「政権幹部」など匿名コメントが乱発されることを嘆き、改善を要求しているのだった。

出典が不明だと世論操作どころか、発言内容が間違っていても、いや、それどころか発言者も発言内容も架空でも、分からない。アメリカで起きた最悪のでっち上げ報道の一つ、一九八〇年に報道されたワシントン・ポストのルポ「ジミーの世界」がその例だ。薬物がはびこる貧困地区に暮らす八歳の男の子ジミー。幼いのにヘロインを常用し、無邪気に語る夢は売人になって稼ぐこと。大反響を呼び、ピュリツァー賞も受賞した。だが、これは完全なでっち上げだった。

捏造が判明してワシントン・ポストはピュリツァー賞を返上、記者のジャネット・クックは退社した。この記事は今でもワシントン・ポストのウェブサイトで過去記事の一つとして読める。冒頭に「これはでっち上げの記事です」の注記つきで――。

日本では、二〇二一年に広島原爆の日の平和記念式典あいさつの一部を、首相だった菅義偉が読み飛ばす失態を演じ、批判を受けた。直後に、いくつものメディアが報じたのが、原稿にのりがついていて正しくめくれなかったからだという匿名の「首相周辺」という人物の説明だ。となると、ページを飛ばして読んでいるのにそれに気付くことができなかった菅の能力を疑うより、「ページがのりでくっついてしまっていたのなら仕方ない」と、不運な事故の印象が強まる。

ところが、その原稿の現物を後日、フリージャーナリストの宮崎園子が確認したところ、のりがくっついていた跡など全くないことが判明した。これを宮崎はウェブメディア「インファクト」で詳しく報告している。「首相周辺」は記者たちにうそを述べていたのだ。だが、仮に実名コメントで報道することを前提としていたら、この「首相周辺」はこんな危ないうそをつけただろうか。あるいは、ニューヨーク・タイムズのブルックスの記事のように、「首相周辺」が実は菅本人であったという可能性はないのか……。それも検証できないのが匿名コメントである。

この年、もう一つの匿名コメントがやはり市民をあざむいていた。一二月二六日夜に放送されたＮＨＫのＢＳ番組「河瀬直美が見つめた東京五輪」だ。東京オリンピックの公式記録映画の監督、河瀬直美を取り上げたドキュメンタリーで、コロナ感染拡大の不安が市民に広がり、賛否の分かれた異例のオリンピックをどう撮るかを追った。その中に、匿名で顔にぼかしの入った男性が出てくる。字幕には「五輪反対デモに参加しているという男性」「実はお金をもらって動員されていると打ち明けた」。この男性は「デモは全部上の人がやるから」などと話す。

となると、オリンピック反対運動は金で人を集めただけ、本当に広く反対の声が上がっているとはいえないということか。そんな反響を呼んだ一方、「金銭で人を動員するオリンピック反対デモはあり得ない」という疑念の声も上がった。確かに、オリンピック反対をはじめ多くの市民運動は手作りで手弁当、参加者に金を払う余裕どころかみんなで費用を出し合う質素な運営だ。「あんな運動はカネで動かされている」と言えば市民運動への侮辱で、強い反発も生む。

批判を受けてＮＨＫが内部調査したところ、当の男性はそもそもオリンピック反対デモに参加していなかった。「五輪反対デモに参加しているという男性」「実はお金をもらって動員されていると打ち明けた」という字幕は事実でなかったのだ。制作陣が社会運動に関心がなく「デモ参加者に金が支払われる」ということに違和感も持たなかったという。デモとは民主主義の「運営側」である市民の、まさに社会を動かそうとする活動だ。それに、民主主義の資源を提供するはずのジャーナリストが無関心で冷淡という寒い実情が見える。

だが同時に、匿名・ぼかしがあったからこそ、この事実に反する放送が生み出されたことは間違いないだろう。出典（発言者）を市民に明示するジャーナリズムの基本を守って実名顔出しだったら、言ってもいないことを字幕で出せるはずがない。そんなことをすればこの男性と大トラブルになる。

第一章でも説明したように、やむを得ず保護すべき匿名情報源はある。内部告発者や秘密情報の提供者、発言により著しい差別や偏見に遭いそうな人と匿名の約束をしたなら、徹底して保護しなければならない。だが、それはあくまで例外であり、大原則は市民のために出典明示だ。

イギリスのＢＢＣは匿名の人を情報源とすることを厳しく制限し、「重大な主張をする一人の匿名情報源」に頼る内容（このＮＨＫのケースも該当するはずだ）を放送するには上級幹部への申請と許可を義務づける。幹部は判断に当たり、実際の身元を把握する権利があり、もちろん秘密を保つ義務もある。ＢＢＣに限らず、英米のテレビは原則としてぼかしを避ける。視聴者市民には本来映っているものをきちんと見せる姿勢を大切にする。日本のテレビがぼかしだらけなのとはかなり異なる。

「新聞やテレビなど伝統ある報道機関の記者なら、情報源（出典）を明示するという報道倫理がある」と、アリゾナ州立大学の「あなたを誤情報から守る七つの方法」は述べていることを紹介したが、その倫理、ひいては信頼性がぐらつきやすいのが日本ジャーナリズムの弱点といえる。

紙の新聞の「見出しスキャン」をデジタルと併用で

情報の質をどう見定めるかの腕を上げるためにも、市民としては賢くニュースを得る必要がある。情報があふれかえるこの時代にどうするか。一つは、スマートフォンをはじめとするデジタル機器とうまく付き合うこと。うまく付き合うとは、単にたくさん使うことではない。はまり込まず、距離の取り方もマスターすること——第三章で紹介したように、スマートフォンやＳＮＳにはスロットマシンと同種の誘因力がある。「ついつい見てしまいたくなる」仕掛けが満載だ。隠し機能ともいえるそんな仕掛けに気付いていなければ「気付くと無意味にスマホをいじり続けている人」になる恐れがある。そして、不快感や腹立たしさをかき立てる情報に注意力をもぎとられていく。

デジタルメディアは速くて便利だから大いに使うべき時代だろう。一方で、危険性を知らずに使うことは、無免許のまま超ハイパワーのスポーツカーで市街地に飛び出すような怖さがある。正しい知識で自分と他人の身を守りながら、デジタルメディアを使いこなすには、その短所をうまく補う必要がある。

一案は、デジタルと併用して紙メディアを活用することだ。気軽で効果が高い活用術が、紙の新聞の「見出しスキャン」である。

スキャンといってもスキャナーやカメラでデジタルコピーを取るという意味ではなく、自分の目でパラ見をするという意味だ。

紙の新聞の一面（題字が書いてある最初のページ）から最終面（多くの新聞はテレビ欄がある）まで、パラパラと見出しだけ見て進む。見出しだけなら、五分かかるかどうか。それで十分、元が取れる。紙の新聞の大きな値打ちは、その日のニュースの全メニューを難なく一望できるところにあるからだ。

第二章で述べたように、新聞社で働くニュースの職人たちは「ニュースの定食」の盛り合わせに心血を注ぐ。政治、経済、国際、文化、スポーツ、社会などの各分野をカバーし、それぞれの分野ごとにトップ記事、二番手……と「おすすめメニュー」順に並べてある。最新順でも人気順でもない、大切な（と各新聞社なりに考える）順で、「好みのネタばかり」の偏食を防ぐ。それとともに、国会で大論争中のテーマなど社会全体で共通ネタとすべき重要情報は、誰もが身につけておけるようにする。

「今日のニュース」を一望しながら、自分の好きなペースで視界に取り入れるこの機能は、この本を記している二〇二三年の段階ではデジタルツールに実装されていない。紙の新聞ならではの強みとして残っている。デジタル技術には未熟な部分もある。デジタルツールでニュースをチェックしていたつもりがSNSやLINEに入り込んでしまい、気付くと長時間を費やしていたという事故も高い確率で発生する。紙メディアはローテクのおかげでそんなことが起きないことが逆に幸いし、「時間のコストパフォーマンス」（タイムパフォーマンス）では実は勝っているように思える。

見出しスキャンの途中、気になるニュースが目にとまったら、気ままに読む。新聞一部は文字数で二〇万字程度、新書二冊分の情報量があるが、記事一本だけなら長くても八〇〇字程度、例外的に長い特集記事でも二〇〇〇字程度だ。しかも、重要なことから書き、どの段落で読むのをやめても意味が通じる書き方（逆三角形ライティングと呼ぶ）が鉄則になっている。だから最初の段落（リードという）だけ読んでもいい。それでニュースの内容はざっくり分かる。ショートケーキのいちごだけ食べるようなつまみ食いこそ大歓迎、むしろ完読する人などいないのが紙の新聞である。

記者たちは記事を書くに当たり「中学二年生が読んで分かるように」という意識を叩き込まれる。実際はそこまでこなれない記事もあるが、あくまで目標は「中二が分かる」だ。私が講義で大学生たちに新聞を読むことを課題とすると「初めて読んだが、難しくないので驚いた」という感想をよく聞く。そして「最初に気になった記事を読むうち、つい隣の記事に目が行って読んだ。気付くと全く関心がなかった分野のニュースを読んでいた」という感想もだ。ネット書店でなくリアルの書店に行けば、売り場を歩くうちに関心もなかった本と出合い、新しい分野の興味が開拓される。それと似ている。

デジタルメディアは既に「知りたい」という意識があるものを掘り下げる「追究メディア」として抜群に優れているが、紙メディアの場合は新世界を知る「発見メディア」といえる。

ツイッターの日本法人社長、永妻玲子も、ニュースはデジタルと紙の両方を併用していると、産経新聞のインタビューで答え「紙面でまず、客観的な視点でまとめられた情報を俯瞰した上で、より細かいことを知りたい、深掘りしたいときにネットでニュースを追っていく。そういう使い分けをしています」と説明する。

私自身は、一九九〇年代前半のパソコン通信以来、デジタル機器、デジタルメディアの愛好者だが、それでもニュースは紙の新聞をパラ見してこそ確実に視界が確保できる。パラ見、つまり「見出しスキャン」や、思いも寄らなかった新分野との出合いのような機能も将来はデジタルメディアに実装される可能性はある。だが、現段階では紙とデジタルの併用によって長所を重ね、短所を補い合うのが現実的といえるだろう。

実際、ニュースの初心者こそ「紙メディア」が適している。どんなニュース分野があるのかを幅広く安定してとらえられ、偶然一分野だけにはまり込まずに済む。「何でもいいから長時間にわたり注意を引きつける」ことを狙う、スロットマシン式の刺激戦略にはまってしまう恐れも小さい。

スマートフォンによる情報収集も活用しつつ、こうして紙メディアと組み合わせることで、紙＋デジタルのハイブリッド型ニュース術を身につけることが、最強の情報戦略になるように思われる。

問題は、紙のニュースメディアに無料のものは乏しいことだ。新聞を購読すれば月に数千円する。雑誌も金がかかる。痛い出費ではあるが、情報や知識にはある程度の金をかけると考えるほかない。プロのアスリートが道具やウェアに金をかけるのと比べては大げさだろうが、市民が社会の「運営側」として、誤情報や過度な「情報の偏食」から身を守るツールとしては悪くない。それに、ネット上の情報も価値あるものは有料化される傾向が強まっている。無料情報だけで通そうとすると、宣伝系情報や低コスト情報が中心になっていくだろう。それだけで生きていくことには、危うさも感じられる。

報道メディアの活用法を学校で教える手段としては「NIE」（教育に新聞を）が知られる。一九三〇年代にアメリカで始まり、若者の社会とのつながり、民主主義の発展などを狙いとして世界中で行われている。世の中のことを知ってこそ、若き市民として社会や政治への意見を持つことができ、行動もできる。一部にはNIEを「成績向上のツール」と見る人もいるようだが、それではニュースとジャーナリズムの教育の価値を小さく切り縮めてしまう。

私たちは社会や政治、行政の「お客様」ではなく「運営側」であり、車でいえばドライバーだから、正しく運営するため情報を得る、そして自分の意見を持つ。その練習をする絶好の機会といえる。

市民がニュースを通して社会を知る。そこから議論が始まる。市民は意見を持ち、発言し、行動する。そこに民主主義のエネルギーが生まれる。そのとき、ニュースは市民のためにあり、市民が民主主義の運営をできるためのものになるのである。

全世界で生成されたデジタル情報総量は二〇二二年、国際調査会社ＩＤＣの推計によれば一〇一ゼタバイトに上ったという。一〇一ゼタとは一〇一の後にゼロが二一個である。これは、本書（約一五万字＝約三〇万バイト）の三四京冊分（京は兆の上の単位で、一万兆に相当）に当たる。一冊の厚さ一・五センチとして積み上げれば約五兆キロメートル、〇・五光年、太陽と地球の距離の三万倍以上になる。

このデジタル情報総量は、二〇〇〇年にはその一万六〇〇〇分の一だった。数字は企業内保管など非公開データも含むが、それにしても二〇年の間にデジタル技術とインターネット情報が拡大を続け、モバイル機器が普及して文字も写真も動画もどこでも発信し受け取れるようになり、情報の激流は加速に加速を続けている。

私たちの情報環境は一万六〇〇〇倍豊かになったのか。この期間はまた、インターネット上の誤情報や偽情報、中傷や罵倒が議論になっていった時代でもある。総務省情報通信政策研究所による二〇二一年の調査でもインターネット上の情報を「全部信頼できる」「大部分信頼できる」と答えた人は二八％にとどまった。本を宇宙の向こうまで積み上げたほどの厖大なデータは宝の山ではなく玉石混淆、危険なデマやいい加減な話による情報の汚染も深刻だ。その中に、私たちが頼れる正確な事実、大切な情報もたくさん埋もれている。

拡大し続ける情報の中で、私たちは事実を見つけなければならない。明日の天気から国会が次に決めようとする法律まで、正確な事実を知らなければ私たちは安全とはいえない。そして民主主義の「運営側」としてどうすべきか、いい意見も議論も望めない。

事実はどこにあるのか。

情報を探り、事実かどうかの裏付けをとり、バランスにも注意しながら伝える役割は、報道メディアが長く担い続けてきた。だが今、新しい情報はＳＮＳに次々と流れてくる。分からないことは検索すればすぐ何らかの結果が表示される。大学でジャーナリズムの講義を受ける学生でも、今や新聞を購読する者はごくまれで、テレビ離れも進む。その代わりＳＮＳを通じてたくさんの最新情報を得ている。その中のどれがニュースなのか、ニュースと最新情報はどこか違うのか。報道メディアと他の情報源は何が違うのか。そもそも、それらは区別すべきなのか。

私たちを取り巻くデータ量にゼロが二一個つく間に、市民への情報提供の圧倒的な担い手を自負してきた新聞やテレビなどプロフェッショナルの報道メディアの存在感は相対的なものに変化した。報道の存在が誰にも自明である時代は終わり、ジャーナリズムに関わる者は「ニュースとは何か、なぜ必要なのか」という基本の問いに改めて分かりやすく答えることを求められている。

私もまた、それに何らか答えていきたいと思った。

私自身、一九九〇年からの三〇年を記者として働いた。なぜこれを報じるのか、報じるべきなのか。記者と市民と政府や捜査当局の関係は。取材で迷惑をかけ、報道で人を傷つけるより政府や専門家に任せれば済むのではないか。誰のために記者はいるのか、何のために——。記者なら誰もが悩むことを私もまた悩み、議論してきた。仕事をより面白く意義深くする記者たちの議論の場「取材報道ディスカッショングループ」（二〇〇七年〜）や、記者、編集者、ディレクターらの知識とスキルを高める講座やワークショップ「報道実務家フォーラム」（二〇一〇年〜）を仲間と設立し、海外の記者たちと交流し、大学に職を移してからは研究教育の中で考えを追い求めた。そのいくばくかでも社会に還元し、議論と批判の材料として役に立てたい。

この本はそんな願いから書いたものだ。特に、ジャーナリズムの最も中心的な役割というべき「市民が民主主義の『運営側』として、必要な情報を得る」という観点を、最初から最後まで一つの軸として意識した。

「運営側」のはずの市民による社会、政治参加が他国より少ない日本である。例えば、広告・マーケティング企業マッキャン・ワールドグループが二六の国と地域のZ世代と呼ばれる若者を二〇二一年に調査したところ、「抗議活動に参加したことがある」のは、フランス二五％、ドイツ一八％、アメリカ一五％、カナダとイギリスがいずれも一一％、全体で一九％だったのに対し、日本はけたが一つ少ない一％だった。

若者の問題ではない。日本人が社会や政治の話をあまりしないのは何世代にもわたる弱点だ。日本の投票率は経済協力開発機構（ＯＥＣＤ）加盟国の中でも下位グループだし、地方議員のなり手も不足している。これでは日本の市民は運営側でなく「お客様」になってしまう。

だからなのかどうなのか、日本の政治家は「国民の皆様」とよく言う。二〇二三年一月四日、首相として岸田文雄は年頭記者会見で「国民の皆さんにとって今年がすばらしい一年に」「国民の皆様に多大な御協力を頂き」「国民の皆様の御協力を」……と繰り返した。政治家は飲食店でいえば店長やスタッフ、市民はお客様で、だから市民の声はサービスが悪いという「お客様の要望」や「クレーム」だろうか。いや私たちは全員スタッフ、運営側のはずなのだ。

他方、アメリカ大統領ジョー・バイデンの場合「私たち人民（国民）」（ウィー・ザ・ピープル）という。二〇二三年一月六日、アメリカ最高の勲章といわれる「大統領市民勲章」授与式のスピーチでは、勲章を「私たち人民」の名において授与するという定型の表彰文を除いても七回にわたりこの「私たち人民」という言葉を繰り返した。

でもそのアメリカの民主主義は壊れそうになっていて、二〇二〇年大統領選挙は不正だったというデマが消えず、議会襲撃事件まで起きている。いや世界中で民主主義はぐらつき、ロシアや中国などの抑圧的な政権が揺さぶりをかける。

市民や世論は信頼の置けるものか、そうなり得るのかを一九二〇年代にアメリカの二人の知識人が論じた「リップマン・デューイ論争」があったが、一〇〇年を経て二〇二〇年代、このテーマはますます重い。市民が民主主義の主人公となれるために知識と力を提供するはずのジャーナリズムもまた、世界中で苦闘を続けている。

民主主義とジャーナリズムはともに栄えともに滅ぶという。もしそうなら、ジャーナリズムは今この乱世こそ踏ん張りどころである。新しいデジタルメディアも加わってその幅を広げながら、報道界の誰もが今日も工夫と奮戦を続けている。

「そうだそうだ」「やっぱりか」と溜飲を下げるコンテンツではなく、裏付けある事実にこだわり、少しでも真実に近づこうともがく。感情を刺激する言葉より議論を深め合う材料を提供する。そうして報道は市民に奉仕し、市民は民主主義の最良の運営者として行動する。そこにつながっていくニュースの見方を本書が提供できたなら、望外の喜びである。

本書の執筆に当たっては、インタビューにお応えくださった方々をはじめ、非常に多くの人々のご協力を得た。忙しい中、ときに機微にわたるお話、愉快とはいえないお話も含めて聞かせてくださったお一人お一人に、ただ衷心から深く感謝申し上げる。また、専修大学文学部ジャーナリズム学科において、山田健太教授をはじめすばらしいジャーナリズム研究教育者の導きがあって、この本の結実につなげることができた。この場を借りてあらためて御礼申し上げる。

本書の内容を形づくる上で大きな役割を果たしたのが同学科の講義とゼミナールでの学生とのやりとりである。重要な気付きにもつながったさまざまな質問、意見を発してくれる学生諸兄姉には常に感謝している。特に私のゼミナール生をはじめ、ジャーナリズムの世界に強い関心を持ち、ジャーナリストを目指そうという学生たちには強く励まされ続けた。

そしてジャーナリズムの実務家としてここに至るまでの経験を授けてくださった共同通信の諸先輩や同僚、後輩、そして何よりも、共同通信記者時代に私の取材に応じ、力を貸してくださった数多くの皆様にも、ただ深く尽きせぬ感謝を差し上げたい。

幻冬舎の編集者、小木田順子さんには当初の企画案から何年もの間、コンセプトの変転をも経ながら忍耐強くご指導くださったことに感謝の言葉もない。あらためて心より御礼申し上げる。

二〇二三年二月

澤　康臣

参考文献

伊藤詩織『Black Box』文藝春秋、二〇一七
ボブ・ウッドワード、カール・バーンスタイン、常盤新平訳『大統領の陰謀［新版］』ハヤカワ・ノンフィクション文庫、二〇一八
大山友之『都子聞こえますか　オウム坂本一家殺害事件・父親の手記』新潮社、二〇〇〇
加藤直樹『トリック「朝鮮人虐殺」をなかったことにしたい人たち』ころから、二〇一九
加藤直樹『九月、東京の路上で　1923年関東大震災ジェノサイドの残響』ころから、二〇一四
北日本新聞社編集局『民意と歩む　議会再生』北日本新聞社、二〇一七
久保聡「悲劇を伝える責務」『新聞研究』日本新聞協会二〇二三年一〇月号、二〇二三
佐々木紀彦『5年後、メディアは稼げるか　MONETIZE OR DIE?』東洋経済新報社、二〇一三
沢木耕太郎『テロルの決算』文春文庫、二〇〇八
清水潔『桶川ストーカー殺人事件　遺言』新潮文庫、二〇〇四
鈴木伸元『新聞消滅大国アメリカ』幻冬舎新書、二〇一〇
総務省『情報通信白書（各年）』

総務省『「情報通信メディアの利用時間と情報行動に関する調査」報告書』二〇二一、二〇二三
高田昌幸、小黒純（編著）『権力vs.調査報道』旬報社、二〇一一
高田昌幸、大西祐資、松島佳子（編著）『権力に迫る「調査報道」 原発事故、パナマ文書、日米安保をどう報じたか』旬報社、二〇一六
高橋シズヱ、河原理子（編）『〈犯罪被害者〉が報道を変える』岩波書店、二〇〇五
チューリップテレビ取材班『富山市議はなぜ14人も辞めたのか 政務活動費の闇を追う』岩波書店、二〇一七
中央防災会議 災害教訓の継承に関する専門調査会『災害教訓の継承に関する専門調査会報告書 1923関東大震災【第2編】』二〇〇九
津堅信之『京アニ事件』平凡社新書、二〇二〇
辻田真佐憲『大本営発表 改竄・隠蔽・捏造の太平洋戦争』幻冬舎新書、二〇一六
デジタル市場競争会議『デジタル広告市場の競争評価 最終報告』二〇二一
デジタル市場競争会議『デジタル広告市場の競争評価 中間報告』二〇二〇
ミシェル・デミュルジェ、鳥取絹子訳『デジタル馬鹿』花伝社、二〇二一
内閣府『「犯罪被害者等に関する国民意識調査」報告書』二〇〇八
日本新聞労働組合連合『「新聞・通信社の働き方・将来性に関するアンケート」の結果について』二〇二〇
カル・ニューポート、池田真紀子訳『デジタル・ミニマリスト スマホに依存しない生き方』ハヤカワ・ノンフィクション文庫、二〇二一

ロバート・バーカイク、野中香方子訳『ジハーディ・ジョンの生涯』文藝春秋、二〇一六
橋元良明、大野志郎、天野美穂子、堀川裕介、篠田詩織『緊急事態宣言で人々の行動・意識は変わったか?』丸善出版、二〇二〇
リチャード・ロイド・パリー、濱野大道訳『黒い迷宮 ルーシー・ブラックマン事件15年目の真実』早川書房、二〇一五
アンデシュ・ハンセン、久山葉子訳『スマホ脳』新潮新書、二〇二〇
藤田博司、我孫子和夫『ジャーナリズムの規範と倫理 信頼性を確保するために』新聞通信調査会、二〇一四
防衛省『イージス・アショアの配備について——各種調査の結果と防衛省の検討結果について——』二〇一九
前嶋和弘、山脇岳志、津山恵子（編著）『現代アメリカ政治とメディア』東洋経済新報社、二〇一九
宮澤浩一、田口守一、高橋則夫（編）『犯罪被害者の研究』成文堂、一九九六
クリストファー・ワイリー、牧野洋訳『マインドハッキング あなたの感情を支配し行動を操るソーシャルメディア』新潮社、二〇二〇

Abernathy, Penelope Muse. *News Deserts and Ghost Newspapers: Will Local News Survive?*. University of North Carolina Press, 2020.
Arnold, Madison. "Seven ways to protect yourself against misinformation". *Arizona State University Knowledge Enterprise*, March 31st, 2020.
AVAAZ. *Facebook: From Election to Insurrection: How Facebook Failed Voters and Nearly Set Democracy Aflame*. 2021.

Brown, Fred, ed. *Media Ethics: A Guide for Professional Conduct*. Society of Professional Journalists Foundation, 2020.

Coalition For Women In Journalism. “USA: Arrest Warrant Filed Against Photojournalist Julia Rendleman For Covid-19 Coverage”. 2020.

Craft, Stephanie, and Davis, Charles N. *Principles of American Journalism: An Introduction*. Routledge/Taylor & Francis Group, 2016.

Cribb, Robert, et al. *Digging Deeper: A Canadian Reporter's Research Guide*. Oxford University Press, 2011.

Gaines, William C. *Investigative Journalism: Proven Strategies for Reporting the Story*. SAGE Publications, 2008.

Hamilton, John Maxwell, and Jenner, Eric. “Redefining Foreign Correspondence.” *Journalism* 5.3 (2004)

Kovach, Bill, and Rosenstiel, Tom. *The Elements of Journalism*. Crown, 2021.

Mahone, Jessica, et al. “Who's Producing Local Journalism? Assessing Journalistic Output Across Different Outlet Types”. *DeWitt Wallace Center for Media & Democracy Report*. 2019.

Media Lawyers Association (UK). *Combatting Online Harassment and Abuse: A Legal Guide for Journalists in England and Wales*. 2021.

Napoli, Philip, and Mahone, Jessica. “Local Newspapers Are Suffering, But They're Still (by Far) the Most Significant Journalism Producers in Their Communities”. *Nieman Lab* 9 (2019).

Norman, Bob. “What happened when Jerry Falwell Jr. took on journalism over COVID-19”. *Columbia Journalism Review*, May 18th, 2020.

Nyhan, Brendan, and Reifler, Jason. “When corrections fail: The Persistence of Political Misperceptions”. *Political Behavior* 32.2 (2010).

Paron, Katina, and Güelfi, Javier. *A NewsHound's Guide to Student Journalism*. Mcfarland and Company. 2018.

Parry, Richard Lloyd. *People Who Eat Darkness: The True Story of a Young Woman Who Vanished from the Streets of Tokyo-and the Evil That Swallowed Her Up*. Macmillan, 2012.

Porter, Ethan, et al. “Can Presidential Misinformation on Climate Change Be Corrected? Evidence from Internet and Phone Experiments”. *Research & Politics 6*. 3, (2019).

Ressa, Maria. “FULL TEXT: Maria Ressa's Speech at Nobel Peace Prize Awarding”. *Rappler*. December 10th, 2021.

Small, Deborah A., Loewenstein, George and Slovic, Paul. “Sympathy and callousness: The impact of deliberative thought on donations to identifiable and statistical victims”. *Organizational Behavior and Human Decision Processes* 102.2 (2007).

SPJ Virginia Pro Chapter. “SPJVA board condemns actions of Liberty University in seeking arrest warrants for journalists”. 2020.

Stilts, Josh. “Battle for Citizenship Could Split Up Couple”. *Brattleboro Reformer*. September 13th, 2011.

UNC School of Media and Journalism, Center for Innovation and Sustainability in Local Media. “Thwarting The Emergence of News Deserts”. 2017.

UNESCO. *Online Violence against Women Journalists: A Global Snapshot of Incidence and Impacts*. 2020.

Victims Services, NSW Department of Justice. *A Guide to the Media for Victims of Crime*. 2011.
Vosoughi, Soroush, Roy, Deb, and Aral, Sinan. "The spread of true and false news online". *Science* 359.6380 (2018).
Willnat, Lars, and Weaver, David H. "Social media and US journalists: Uses and perceived effects on perceived norms and values". *Digital journalism* 6.7 (2018).

このほか国内外の新聞、雑誌各紙誌を参考とした。

著者略歴

澤 康臣《さわやすおみ》

一九六六年岡山市生まれ。

東京大学文学部卒業後、共同通信記者として一九九〇～二〇二〇年、
社会部、外信部、ニューヨーク支局、特別報道室で取材。

タックスヘイブンの秘密経済を明かしたパナマ文書報道のほか
「外国籍の子ども1万人超、就学の有無把握されず」

「虐待被害児らの一時保護所が東京・千葉などで受け入れ限界、定員150％も」

「戦後主要憲法裁判の記録、大半を裁判所が廃棄」などを独自に調査し、報じた。

二〇〇六～〇七年、英オックスフォード大学ロイター・ジャーナリズム研究所客員研究員。

二〇二〇年四月から専修大学文学部ジャーナリズム学科教授。

著書に『グローバル・ジャーナリズム　国際スクープの舞台裏』（岩波新書）

『英国式事件報道　なぜ実名にこだわるのか』（文藝春秋）などがある。

幻冬舎新書 687

事実はどこにあるのか

民主主義を運営するためのニュースの見方

二〇二三年三月三十日　第一刷発行

著者　澤 康臣
発行人　見城 徹
編集人　小木田順子
発行所　株式会社 幻冬舎
〒一五一-〇〇五一 東京都渋谷区千駄ヶ谷四-九-七
電話 〇三-五四一一-六二一一(編集)
〇三-五四一一-六二二二(営業)
公式HP https://www.gentosha.co.jp/
ブックデザイン　鈴木成一デザイン室
印刷・製本所　株式会社 光邦

Printed in Japan ISBN978-4-344-98689-3 C0295
さ-26-1

*この本に関するご意見・ご感想は、左記アンケートフォームからお寄せください。
https://www.gentosha.co.jp/e/

幻冬舎新書

鈴木伸元

新聞消滅大国アメリカ

アメリカで新聞が続々と消滅しているが、新聞がなくなると街は、国家は、世界はどうなるのか？　新聞が消えた街でネットから得られる地元情報はごくわずか。他人事ではない、日本人必読の書。

鈴木伸元

加害者家族

犯罪の加害者家族は失職や転居だけでなく、インターネットでの誹謗中傷、写真や個人情報の流出など、悲惨な現実をまのあたりにする。意外に知られていない実態を明らかにした衝撃の一冊。

辻田真佐憲

大本営発表

改竄・隠蔽・捏造の太平洋戦争

日本軍の最高司令部「大本営」。その公式発表は、戦果を5倍、10倍に水増しするのは当たり前。恐ろしいほどに現実離れした官僚の作文だった。今なお続く日本の病理。悲劇の歴史を繙く。

國分功一郎

来るべき民主主義

小平市都道328号線と近代政治哲学の諸問題

半世紀も前に作られた道路計画を見直してほしいという住民の声が届かない社会が、なぜ「民主主義」と呼ばれるのか？　気鋭の哲学者が、実践と深い思索をとおして描き出す、新しい社会の構想。